# OEUVRES

DE

# THÉODORE DE BANVILLE

*IDYLLES PRUSSIENNES*

*RIQUET A LA HOUPPE*

FAC ET SPERA

AL

PARIS

ALPHONSE LEMERRE, ÉDITEUR

23-31, PASSAGE CHOISEUL, 23-31

M DCCC XCI

OEUVRES

DE

THÉODORE DE BANVILLE

ŒUVRES

DE

# THÉODORE DE BANVILLE

IDYLLES PRUSSIENNES
RIQUET A LA HOUPPE

PARIS

ALPHONSE LEMERRE ÉDITEUR

23-31, PASSAGE CHOISEUL, 23-31

M DCCC XC

# IDYLLES PRUSSIENNES

OCTOBRE 1870 — FÉVRIER 1871

.4

## ILDEFONSE ROUSSET

DIRECTEUR DU « NATIONAL »

E grand Gœthe, conseillant Eckermann, l'engageait à se confier, comme
poëte lyrique, à l'inspiration des faits
eux-mêmes. Si le poëte, disait-il,
porte chaque jour sa pensée sur le présent, s'il
traite immédiatement et quand l'impression est
toute fraîche le sujet qui est venu s'offrir à lui,
alors ce qu'il fera sera toujours bon*... Et plus

---

\* Conversations de Gœthe pendant les dernières années
de sa vie (1822-1832), recueillies par Eckermann, traduites
par Émile Délerot.

*loin, dans la même conversation, il ajoute : Le
monde est si grand et si riche, la vie si variée,
que jamais les sujets pour des poésies ne manque-
ront. Mais* toutes les poésies doivent être des
poésies de circonstance, *c'est-à-dire que c'est la
réalité qui doit en avoir donné l'occasion et fourni
le motif. Un sujet particulier prend un caractère
général et poétique, précisément parce qu'il est
traité par un poète. Toutes mes poésies sont des
poésies de circonstance; c'est la vie réelle qui les a
fait naître, c'est en elle qu'elles trouvent leur fond
et leur appui. Pour les poésies en l'air, je n'en fais
aucun cas.*

*Si Gœthe pensait ainsi que, même en temps or-
dinaire, écrire sous la dictée de la vie réelle est
encore le meilleur moyen de trouver des motifs
originaux et émouvants, combien cette doctrine
doit s'appliquer plus justement encore à la terrible
période que nous avions déjà traversée avant les
jours où se déploya le drapeau rouge, et pendant
laquelle nous avons vu distinctement agir et se dé-
ployer l'Histoire, comme on voit à l'œil nu marcher les aiguilles d'une horloge sur un cadran
gigantesque! Grâce à vous, mon ami, au milieu
des angoisses et des horreurs de la guerre, j'ai pu*

faire ce qui eût été alors le rêve de tout poëte : c'est-
à-dire écrire et composer sous la pression même des
événements, dans un journal, et avec le public pour
collaborateur, pour inspirateur et pour écho, ces
petits poëmes toujours sincères !

Pour pouvoir mener à bout une entreprise si
intéressante pour l'artiste qui s'y dévoue, il fallait
avoir le bonheur que j'ai eu, et rencontrer un directeur de journal — comme vous lettré, passionné
pour le beau, aimant la poésie en écrivain et en
dilettante. En vous dédiant cette œuvre, je ne fais
que vous rendre ce qui vous est dû ; car c'est grâce
à vous seulement que j'ai pu monter sur mon
théâtre comique, réciter à la grande foule ma para-
base tour à tour ironique, irritée et enthousiaste,
et lancer à leur but mes flèches aiguës et sifflantes.

Maintenant, permettez-moi d'adresser ici un re-
merciment aux deux personnes qui, après vous,
m'ont aidé gracieusement et avec une générosité
sans bornes. Un comédien plein d'imagination et
d'esprit, qui, rimeur lui-même, connaît à fond les
ressources et les difficultés sans nombre de notre
art, SAINT-GERMAIN du Vaudeville, a, sans
se lasser, récité et interprété sur les théâtres plusieurs de mes Idylles, dont il a fait de remar-

quables créations. Il leur a donné l'intensité, le relief de la vie; il a inventé des Bismarck et des de Moltke d'une ressemblance féroce, à la fois idéale et implacable; et le bruyant succès qui a accueilli ces satires en action s'adressait tout entier à l'ingénieux artiste qui a entrelacé, sur la trame que je lui avais donnée, les broderies et les arabesques de la plus savante fantaisie.

En plein siège, pendant que les obus prussiens éventraient çà et là nos maisons, ARMAND SILVESTRE, le poëte exquis des Rimes neuves et vieilles et des Renaissances, a consacré à mes strophes, qui paraissaient alors dans Le National, une étude dans laquelle il me louait avec une fraternelle sympathie dont je serai éternellement fier*.

Aujourd'hui Alphonse Lemerre recueille en un volume les Idylles Prussiennes, et nous les réimprimons sans y rien corriger, quels qu'aient pu être les illusions et les chimériques espoirs que j'ai, à certains moments, partagés avec toute la France! L'éditeur des poëtes a pensé qu'il fallait rendre mes vers au public tels qu'ils se sont échappés de

---

* Chronique littéraire : L'Esprit français pendant le siège. — Théodore de Banville et Daumier. ARMAND SILVESTRE, dans le journal Le Soir du jeudi 12 janvier 1871.

*mes lèvres, tels qu'il les a pour la première fois en-*
*tendus et souvent applaudis ; et ce n'est que justice.*
*N'avais-je pas le devoir de donner cette preuve*
*d'humilité à ceux qui m'ont lu fidèlement chaque*
*lundi, en des moments si troublés et si tragiques ?*

*Avant tout, mon ami, c'est à vous que je dois*
*d'avoir été ainsi écouté, encouragé et compris ;*
*aussi ai-je tenu à vous dire sur la première page*
*de ce livre que je suis avec la plus cordiale affec-*
*tion*

*Votre dévoué*

THÉODORE DE BANVILLE.

20 juin 1871.

C'est toujours le même peuple de pantins pédants; c'est toujours le même angle droit à chaque mouvement, et sur le visage la même suffisance glacée et stéréotypée.

Ils se promènent, toujours aussi roides, aussi guindés, aussi étriqués qu'autrefois, et droits comme un I; on dirait qu'ils ont avalé le bâton de caporal dont on les rossait jadis.

Oui, l'instrument de la schlague n'est pas entièrement disparu chez les Prussiens; ils le portent maintenant à l'intérieur.

HENRI HEINE, *Germania.*

# IDYLLES PRUSSIENNES

## Le Cavalier

Le roi hésite, mais il faudra bien
que le vieux cheval marche encore !

PAROLES DE M. DE BISMARCK.

Il est bien las, le vieux cheval !
Après les fêtes sans pareilles
De son féroce carnaval,
Il a du sang jusqu'aux oreilles.

A présent que ses durs sabots
Ont piétiné dans la tuerie
Et qu'il s'est soûlé de tombeaux,
Il lui faudrait son écurie.

2

Il regarde les vastes cieux,
Extasié comme un bon moine,
Et lourd, immobile, anxieux,
Il soupire après son avoine.

Il rêve au gazon vert du parc
Où le flot argenté ruisselle;
Mais son vieux cavalier Bismarck
Sur son dos se remet en selle.

Pâle, dans le flanc du coursier
Que serrent ses genoux, il entre
Son cruel éperon d'acier;
Il lui laboure son vieux ventre.

L'écuyer, roide et sans défaut,
Qui dans les entrailles lui plante
Ce fer, dit : Crève s'il le faut,
Mais poursuivons l'œuvre sanglante.

Pour que nos vieux cœurs allemands
Se repaissent de funérailles,
Viens fouler sous tes pieds fumants
Des cervelles et des entrailles.

Écume et déchire ton mors!
Mais toujours, comme nous le sommes,
Soyons des faiseurs de corps morts:
Crève, mais foule aux pieds des hommes!

    Octobre 1870.

# La Marseillaise

> Les Prussiens, pour s'approprier
> notre hymne national, ont fait
> composer des vers allemands qu'ils
> chantent sur l'air de *La Marseillaise*.
>
> LES JOURNAUX.

JOYEUX, parmi les râlements
Dont l'horreur vous enivre d'aise,
Vous plaquez des vers allemands
Sur l'air de notre *Marseillaise!*

Et, fanfarons sous vos plumets,
Léchant votre lèvre gourmande,
Vous vous écriez : Désormais
Cette chanson est allemande!

Et Bismarck vous dit : Je le crois,
Comme il fallait que je le crusse,
J'en jure par toutes mes croix,
Voilà bien l'hymne de la Prusse.

Allons donc! l'Hymne au vol de feu,
L'hymne de gloire et de souffrance
Volant sur nous dans le ciel bleu
N'a pas un cri qui ne soit : France !

L'œil enflammé, le fer en main,
La généreuse, l'immortelle
Dit encor : France ! au genre humain
En vous aveuglant de son aile !

Cri de la grande nation
Et guerrière au chant symbolique,
Elle est la Révolution,
Elle est la sainte République ;

Ame, elle emporte sur ses pas
Hoche et Marceau comme Gavroche :
Teutons, on ne démarque pas
Cela, comme un mouchoir de poche.

Elle vous mènera jusqu'où
Grince la défaite au front hâve !
Ah ! vous pouvez lui mettre au cou
Votre ignoble collier d'esclave ;

Celle qui fait peur aux volcans
Aura bien vite mis en poudre
Votre livrée et vos carcans
Parmi les éclats de sa foudre.

Allemagne qui remuais,
Elle est le Verbe, elle est l'Idée,
Et vous resterez tous muets
Rien que pour l'avoir regardée !

Octobre 1870.

# La Besace

L'AIR est lourd et le soleil fauve.
Dis, que veux-tu, bon Allemand,
Pauvre vieillard au crâne chauve,
Pour t'en aller tranquillement?

Que faut-il mettre en ta besace?
— Ames secourables, merci.
Mettez-y, s'il vous plaît, l'Alsace;
Mettez-y la Lorraine aussi.

Sur votre bonté souveraine
Pour l'amour de Dieu j'ai compté :
Dans mon sac avec la Lorraine
Mettez-moi la Franche-Comté!

Messieurs, à Dieu je recommande
Votre vendange et vos moissons!
Ma besace a la bouche grande,
Mettez-y, s'il vous plaît, Soissons.

Je vous bénis, que Dieu m'entende !
Et je ne réclame plus rien
(Ma besace a la bouche grande)
Sinon le mont Valérien !

— Bon vieillard au crâne d'ivoire,
Dont les jours heureux sont passés,
Reste ici jusqu'à la nuit noire :
Tu ne demandes pas assez !

Pour apaiser ta faim qui raille,
Vieillard chauve, nous te donnons
Les éclats de notre mitraille
Et les boulets de nos canons,

Et le sang que ton cœur préfère,
Vieillard, et nous allons t'offrir
Les prodiges que peuvent faire
Tous ceux qui veulent bien mourir.

Nous t'offrons un festin sur l'herbe,
Où devant toi dans le ravin
Le sang généreux et superbe
Ruissellera comme du vin,

Où la Mort, ta fidèle amante,
Blanche sous le casque allemand,
Peut remplir sa coupe fumante
Et se soûler hideusement.

Oui, vous pourrez manger et boire
Et laver vos bras rafraichis,
Toi, vieillard au crâne d'ivoire
Et ton amante aux os blanchis !

Devant les paroles railleuses,
Paris est lent à s'étonner :
Écoute un peu nos mitrailleuses,
Ce sont elles qui vont tonner.

Donc, mange à ta faim ! Continue.
Les noirs corbeaux au bec durci
Qui volent en haut dans la nue
Prétendent qu'ils ont faim aussi !

Octobre 1870.

# Les Allemandes

Dans leurs villes belles et grandes
Où glissent leurs foules accrues,
Les jeunes femmes allemandes
Vont lugubrement par les rues.

Toutes en noir, sous leurs longs voiles,
Murmurant le nom du ministre
Et plus blanches que les étoiles,
Elles marchent d'un air sinistre.

Rebuvant leurs larmes aigries,
De la guerre vivants emblèmes,
De leurs longues mains amaigries
Elles traînent des enfants blêmes.

Hélas! murmure une d'entre elles
Avec une voix de fantôme,
La Victoire a pris sous ses ailes
Notre héros, le roi Guillaume;

3

Monsieur de Bismarck nous informe
Qu'il va tailler une Allemagne
Plus magnifique et plus énorme
Que celle du roi Charlemagne ;

Il leur faudra mille ans pour boire
Les éloges qu'ils thésaurisent,
Et LEUR Fritz, écrasé de gloire,
Se porte bien, à ce qu'ils disent.

Mais NOS Fritz à nous, ô martyre !
Les pères de ces petits êtres
Dont la main tremblante nous tire,
Où sont-ils ? Qu'en ont fait leurs maîtres ?

Loin de nous, qui devons nous taire,
L'œil morne et la poitrine ouverte,
A peine recouverts de terre,
Ils sommeillent sous l'herbe verte.

Leur front de neige se soulève
Pendant les nuits éblouissantes,
Et quoique morts, parfois en rêve
Ils voient leurs femmes gémissantes.

Ils dorment là-bas dans les havres
Où jamais notre voix n'arrive,
Et sur tous leurs pauvres cadavres
On a jeté de la chaux vive.

Octobre 1870.

# Les deux Soleils

Comme deux rois amis, on voyait deux soleils
Venir au-devant l'un de l'autre.

VICTOR HUGO, *Le Feu du Ciel.*

CELUI qu'une noire tribu
De sauterelles accompagne,
Le vaillant roi Guillaume a bu
Quelques bouteilles de champagne.

Il rit. Pas de rébellion
Dans sa toute-puissante armée,
Et dans sa tête de lion
Monte la joyeuse fumée.

Héros que l'Épouvante suit,
Rêvant carnage et funérailles,
Il erre tout seul dans la nuit
A travers le parc de Versailles.

Et fier comme un dieu sur son char,
Il se voit, lui, faiseur de cendre,
Avec le laurier de César
Et la crinière d'Alexandre.

Il erre, exprimant sous le ciel
Sa joie aux astres exhalée
En des mots plus doux que le miel;
Mais voici qu'au bout d'une allée

De charmille, vert corridor,
Il voit, doré jusqu'à la nuque,
Un fantôme ruisselant d'or
Coiffé d'un spectre de perruque.

C'est Louis Quatorze. Le Roi
Soleil, qui n'est plus qu'un fantôme,
Dit sans colère et sans effroi
Ces paroles au roi Guillaume :

Salut, mon frère. J'ai connu
L'orgueil de semer les désastres;
J'étais comme un Apollon nu,
J'étais Soleil parmi les astres.

Je lançais, entouré de feu,
Sur les peuples, foules serviles,
Mes flèches d'or, ainsi qu'un dieu;
J'étais le grand preneur de villes.

J'allais traitant les potentats
Comme l'arbre aux minces ramilles,
Taillant à mon gré les États
Et la figure des charmilles.

Je buvais le vin de l'amour
Sur les lèvres de La Vallière,
Et c'est moi qui faisais le jour,
Et j'avais pour valet Molière !

Infirme et vieux, sous mon talon
Je foulais encore les cimes
Avec le masque d'Apollon,
Et mes flatteurs aux voix sublimes

M'appelaient encore Soleil
En leurs phrases que le temps rogne,
Quand, déjà fétide et vermeil,
Je n'étais plus qu'une charogne.


Octobre 1870.

# Les Villes Saintes

CERTES il luira sur nos fronts,
Ce grand jour de nos destinées
Où nous vous ressusciterons,
Saintes villes assassinées !

Toul ! nous te verrons resplendir
Au pied de tes montagnes vertes ;
Et toi qui sus encor grandir
Sur tes places de sang couvertes,

Strasbourg ! après tant de douleurs,
Tes remparts dont la voix s'est tue
Seront jonchés des mêmes fleurs
Que ton héroïque statue ;

Et nous y verrons — c'est demain ! —
Sous tes guirlandes et tes voiles,
UHRICH élevant dans sa main
Son bâton bleu semé d'étoiles.

Octobre 1870.

# Bonne Fille

PRUSSIENS, vous disiez naguère :
Nous pouvons faire des paris !
A la guerre comme à la guerre,
Nous allons bien rire à Paris.

Paris, où tout flamboie et brille,
A toujours son rire divin :
C'est une Ville bonne fille,
Elle nous versera du vin !

L'aimable et folle courtisane
Bercera notre état-major,
Et lui donnera pour tisane
Le champagne au flot couleur d'or.

Et le Teuton aux mains de pâtre,
Amant de la nymphe Paris,
Séduira cette Cléopâtre
Dans un flot de poudre de riz !

Vous aviez compté sans votre hôte,
Le paradis est un enfer.
Vous trouvez, cœur haut, tête haute,
La Guerrière au glaive de fer.

Son étreinte est dure et farouche.
Elle vous déchire et vous mord,
Et voici que sur vous sa bouche
Crache la mitraille et la mort.

Croyez-moi, reprenez haleine ;
Car ici vous entendrez, non
Les refrains de *La Belle Hélène,*
Mais le tonnerre du canon ;

La Ville est irritée et forte,
Et si vous l'approchez jamais,
C'est qu'alors elle sera morte ;
Et vous la caresserez, — mais

Prenez garde que la Martyre,
Levant son bras ensanglanté,
Pour vous égorger ne retire
Le couteau dans son sein planté.

Octobre 1870.

# La Populace

Qui t'aidera, prince ou bandit,
Qui veux te mettre à notre place?
Monsieur de Bismarck nous l'a dit :
Il compte sur LA POPULACE !

Sur ce qui se vautre à genoux,
Sur ce qu'on pille et qu'on assomme.
Nous n'avons pas cela chez nous;
Vous pouvez repasser, brave homme.

Ici, nous sommes Peuple, et non
Populace (erreur n'est pas compte!)
Le doux mot : FRANCE est notre nom ;
Enfin chez nous, monsieur le comte,

L'enfant même, aux hommes pareil,
Porte en lui les biens qu'il adore :
L'Amour, clair rayon du soleil,
Et la Liberté, cette aurore !

Octobre 1870.

# Les Femmes violées

Les atrocités des Prussiens conti-
nuent à Versailles.

De nombreuses femmes et jeunes
filles ont été violées, non seulement
par les soldats, mais aussi par les
officiers.

Plusieurs sont devenues folles à
la suite de ces violences, d'autres
sont mortes.

LES JOURNAUX.

CES mortes que la brise effleure
De leurs chevelures voilées,
Ces mortes blanches, tout à l'heure
C'étaient des femmes violées.

Sur leur front triste et sur leur face,
Le vent caressant qui se joue,
De son aile tremblante efface
Vos baisers de sang et de boue.

O Prussiens, ô capitaines !
Tout à l'heure ces femmes pâles
Suppliaient vos lèvres hautaines
Avec des sanglots et des râles ;

Et vous, les mains de sang tachées,
Gais, meurtrissant chaque victime,
Devant leurs mères attachées,
Vous avez froidement... O crime !

A l'heure où vos fils à l'œil sombre
Pleureront aux lueurs des lampes,
Où la Mort posera dans l'ombre
Son doigt de marbre sur vos tempes,

Vous les reverrez, ces martyres
Qui, la prunelle encor vivante,
Sous vos caresses de satyres
Se débattaient dans l'épouvante !

Oui, ces cadavres et ces folles,
Tendant leurs longues mains d'ivoire,
Contre vous alors, sans paroles
Témoigneront dans la nuit noire.

Et Dieu, dans la voûte étoilée,
Ne verra votre âme anxieuse
Qu'à travers l'horrible mêlée
De leur troupe silencieuse.

Montrant au ciel qui les regarde
Leurs ventres souillés, vos amantes,
Foule hâve, morne, hagarde,
Tordront leurs lèvres écumantes.

Plus blanches qu'une aile de cygne,
Elles vous montreront, vous dis-je,
D'un doigt vengeur qui vous désigne;
Et vous, par un affreux prodige,

Au fond de leurs foules obscures,
Dans les ombres visionnaires
Vous apercevrez les figures
De vos filles et de vos mères!

Octobre 1870.

# La Soirée

Lorsqu'en revenant du rempart
Où, plein d'une foi chaleureuse,
Il a bien veillé pour sa part,
Le père quitte sa vareuse,

En voilà jusqu'au lendemain!
Il t'oublie, aigre vent qui souffles
Sur les talus, et, d'une main
Réjouie, il met ses pantoufles.

Après avoir dîné sans bruit,
Il regardera quelque estampe
Ou bien lira jusqu'à minuit
Aux douces clartés de la lampe,

Avec sa femme et ses enfants,
Amusant l'un d'eux sur sa jambe
Et voyant leurs fronts triomphants
Luire aux clartés du feu qui flambe.

Il caresse complaisamment
Cette jeune et chère couvée
Et suit avec un œil d'amant
Sa compagne enfin retrouvée,

Qui, charmante en sa floraison,
Sous le clair regard qui l'admire
Se promène dans la maison
Qu'elle éclaire de son sourire.

Alors le père tout heureux
Ne regrette ni les théâtres,
Où des cailloux aventureux
Ornaient de fausses Cléopâtres,

Ni les cafés, plus laids encor,
Où des Phrynés aux blancheurs mates
Flamboyaient sous leurs cheveux d'or,
Comme des bêtes écarlates.

Plus de cercles, où par monceau
L'or tombait, et ruisselait comme
L'eau méprisable du ruisseau !
La femme a retrouvé son homme,

Et chacun reste avec les siens,
Riant à l'enfant qui babille,
Grâce à messieurs les Prussiens,
Qui nous ont rendu la famille !

    Octobre 1870.

# La bonne Nourrice

Portant, selon le rit ancien,
Un manteau de pourpre, et coiffée
Du sombre casque prussien,
La Mort, épouvantable fée,

Son échine ployée en arc
Et docile au moindre caprice,
Câline son enfant Bismarck,
Ainsi qu'une bonne nourrice.

Et doucement, avec amour,
Elle berce le rude athlète
Entre ses os lisses, à jour
Sur sa poitrine de squelette.

Arrangeant le front du héros
Sur un oreiller de dentelle
Disposée en riants carreaux :
O pauvre bien-aimé, dit-elle,

Il est fatigué du gala
Qu'il a fait avec ses ilotes.
Il revient de la fête; il a
Du sang jusqu'au haut de ses bottes;

Pour me préparer mon butin
Qu'une pourpre vivante arrose,
Il a veillé jusqu'au matin :
Il est bien temps qu'il se repose!

Ainsi parle à mi-voix, sans bruit,
Avec sa bouche sans gencive
Dont les dents brillent dans la nuit,
La bonne nourrice attentive.

Cependant le chef des uhlans,
Rêvant du carnage écarlate,
Voit encor les blessés hurlants,
Et sa prunelle se dilate.

Enfin calme, heureux, sans remord,
Il ferme sa paupière sombre.
Il sommeille déjà; la Mort,
Se penchant vers le faiseur d'ombre

Qui de tout temps la festoya,
Le caresse à chaque minute,
Et, jouant sur un tibia,
L'endort avec un air de flûte.

Octobre 1870.

# Un Prussien mort

Couché par terre dans la plaine
Sous une aigre bise du nord
Qui le fouettait de son haleine,
Nous vîmes un Prussien mort.

C'était un bel enfant imberbe,
N'ayant pas dix-huit ans encor.
Une chevelure superbe
Le parait de ses anneaux d'or,

Et sur son cou, séchée et mate,
Faisant ressortir sa pâleur,
La large blessure écarlate
S'ouvrait comme une rouge fleur.

Il montrait son regard sans flamme,
Étendant ses bras onduleux,
Et l'on eût dit que sa jeune âme
Errait encor dans ses yeux bleus.

5

Il dormait, le jeune barbare,
Avec un doux regard ami;
Un volume grec de Pindare
Sortait de sa poche à demi.

C'était un poëte peut-être,
Divin Orphée, un de tes fils,
Qui pour un caprice du maitre
Est mort là, brisé comme un lys.

Ah! sans doute, au bord de la Sprée,
Une belle enfant de seize ans
A la chevelure dorée
En versera des pleurs cuisants,

Et toujours parcourant la route
Qu'il suivait en venant les soirs,
Une mère de plus sans doute
Portera de longs voiles noirs.

Il est parti bien avant l'heure,
Jeune et pur, sans avoir pleuré.
Pour quel crime faut-il qu'il meure,
Cet enfant à l'œil inspiré?

Peut-être que sa mort est juste,
Et ne sera qu'un accident
S'il se peut que son maitre auguste
Devienne empereur d'Occident,

Et qu'en sa tragique folie,
Monsieur le chancelier Bismarck
Prenne d'une main l'Italie
Et de l'autre le Danemark !

Ah ! Bismarck, si tu continues,
De ces beaux enfants chevelus
Aux douces lèvres ingénues
Bientôt il n'en restera plus !

    Octobre 1870.

# Cauchemar

Oui, venez tous! Goths et Vandales
Graissés de suif, sortez encor
De vos tanières féodales,
Avec vos casques tachés d'or!

Attilas de la parodie,
Ravageurs blonds, meute aux abois,
Qui n'avez pas l'âme hardie
Et qui vous cachez dans les bois!

Soldats que le vieillard gourmande,
Immobile, et sur son coursier
Rêvant son Europe allemande,
Traînez vos lourds canons d'acier!

Ainsi que des sauvages ivres,
Brûlez le passé radieux
Et les monuments et les livres!
Brisez les images des Dieux!

O superbes marionnettes
Au courroux froid et compassé,
Au fond, convenez-en, vous n'êtes
Que les fantômes du passé !

Et vous pouvez sur votre housse
Copier en riches lampas
L'ancien blason de Barberousse :
Mais enfin, vous n'existez pas.

Trombe que l'ouragan soulève,
Vous êtes, ô peuple géant,
Un rêve effrayant, mais un rêve,
Qui s'enfuira dans le néant.

Quand la France, enfin délivrée
De cet horrible cauchemar,
Cherchera la foule enivrée
Des Vandales, et leur César,

Demandant à la plaine verte,
Au mont, pleins d'abris murmurants,
A l'ombre de la nuit déserte :
Où sont donc ces spectres errants ?

Qu'est devenu leur troupeau blême ?
Alors le mont aérien,
Les plaines et l'ombre elle-même
Diront : Nous n'en savons plus rien !

Octobre 1870.

# Le Héros

> Nous avons à faire pénétrer dans
> l'esprit de nos officiers et de nos
> soldats cette grande pensée dont
> n'ont pas voulu les monarchies et
> que la République doit consacrer :
> *Que l'opinion seule peut récompenser*
> *dignement le sacrifice de la vie.*
>
> LETTRE DU GÉNÉRAL TROCHU
> AU GÉNÉRAL TAMISIER.

ILS le disaient, ces grands Hellènes
Qui, morts, dans leurs apothéoses
Respiraient encor les haleines
Des myrtes et des lauriers-roses :

Heureux qui, jeune, à son aurore,
Embrassant la Mort détestée,
Tombe dans le combat sonore
Pour sa patrie ensanglantée !

Celui-là, fauché par les glaives,
Est orné d'un éclat magique
Et dans les ombres de nos rêves
Apparait, superbe et tragique.

Son nom ailé, dont s'émerveille
Le pêcheur courbé sur ses rames,
Voltigera, comme une abeille,
Sur les lèvres des jeunes femmes,

Et le noir laurier de la guerre
Ombrage sa tête sereine.
Il n'est plus un passant vulgaire
Caché dans la mêlée humaine,

Car ce soldat au cœur stoïque
Reste l'orgueil de sa chaumière;
Pour jamais sa fin héroïque
A mis son front dans la lumière!

Il meurt, ayant conquis sa proie!
Et lorsque dans la plaine verte,
Frémissant d'une sainte joie,
Il tombe, la poitrine ouverte,

La Gloire, souriante et pure,
Admirant sa fière jeunesse,
Vient baiser la rouge blessure
Avec ses lèvres de Déesse.

Octobre 1870.

# La Lune

Cependant dans l'expansion de sa
joie la Lune remplissait toute la
chambre comme une atmosphère
phosphorique...

CHARLES BAUDELAIRE,
*Poëmes en prose.*

COMME les sœurs aux fronts étroits
Hurlant leurs chansons meurtrières,
Qu'on voit dans *Macbeth*, ils sont trois
Dans une chambre de Ferrières.

Plus ridé que la vaste mer,
De Moltke a le visage glabre
Et plisse en un rictus amer
Sa bouche ouverte en coup de sabre.

Il ne dit rien, mais son compas,
Qu'il rétrécit ou qu'il écarte,
Prend des villes, et pas à pas
Refait l'univers sur la carte.

Les deux autres causent; Bismarck
Parle avec un geste d'athlète,
Et le paysage du parc
Dans son crâne blanc se reflète.

Guillaume écoute, sabre au flanc,
Pliant d'une main fantaisiste
Sa moustache de tigre blanc,
Qui se hérisse — et lui résiste.

— Sire, dit Bismarck, je conquiers,
Après la France, l'Angleterre;
Puis après, je vous en requiers,
Songeons au reste de la terre!

L'Espagne, l'Italie en deuil
Et la Turquie effarouchée
Et la Russie ivre d'orgueil,
Nous n'en ferons qu'une bouchée.

Nous les aurons, foi de Bismarck!
Et quant à vos brumes, Hollande,
Suède, Norwège et Danemark,
Je m'en fais une houppelande.

Grèce, Afrique, Hongrie encor,
Nous empochons tout; quant aux Indes
Fleurissantes sous leur ciel d'or,
Nous en ferons nos Rosalindes.

6

Et parlons net, je ne crois pas
Former des espoirs chimériques
Si je compte réduire au pas
L'Asie et les deux Amériques.

L'univers ainsi dévasté,
Sur son cheval d'apothéose
Que fera Votre Majesté?
Je crois bon qu'Elle se repose.

Oui, nous rentrerons, Vous et moi.
Faire un Prussien de chaque homme
Vivant, cela suffit, ô Roi!
Quelles que puissent être, en somme,

Et notre soif et notre faim,
Tout boire et manger guérit l'une
Ainsi que l'autre; puis enfin
On ne peut pas prendre la lune.

Quiconque s'en serait chargé
Risquerait fort à l'entreprendre.
— Si, dit alors de Moltke, j'ai
Fait mes calculs : on peut la prendre!

Octobre 1870.

# Le Charmeur

TANDIS que les jeunes Bretons
Sous l'éclair du soleil oblique
Passaient, et que leurs pelotons
Criaient : Vive la République !

On m'a montré, parmi leurs flots,
Dans les brumes orientales,
Un sous-lieutenant de *moblots*
Dont le regard charme les balles.

Sa moustache est comme un fil d'or ;
C'est un enfant à la main blanche,
Et le ciel se reflète encor
Dans sa prunelle de pervenche.

Il fait beau voir ces yeux ardents
Et ce jeune corps svelte et grêle.
Il va seul, une fleur aux dents,
Où le plomb siffle comme grêle,

Et les balles, dont les réseaux
S'entre-croisent dans la tourmente,
Voltigent, comme des oiseaux,
Autour de sa tête charmante

Et le semblent caresser, mais
Sans songer à lui faire injure
Et sans même offenser jamais
Les boucles de sa chevelure.

Les femmes l'admirent aussi;
Mais bien loin d'être leur esclave,
Il n'a d'elles aucun souci.
Car sachez que ce jeune brave

A fait un pacte avec la Mort,
Et cette noire enchanteresse,
Dont la dent cruelle nous mord,
Doit être sa seule maitresse.

Il marche au feu comme il lui plait,
Grâce à la Déesse impassible
Qui toujours le protège. Elle est
Sa dame, et le rend invincible.

Elle aura cet amant si cher,
Mais quand nos ennemis superbes,
Navrés et meurtris dans leur chair,
Dormiront couchés sous les herbes.

Car le héros, qu'avec amour
Elle suit de ses yeux d'ivoire,
Ne doit l'épouser que le jour
De notre suprême victoire !

Octobre 1870.

# La République

La République est jeune et fière
Et ne punit que les bourreaux ;
Elle marche dans la lumière.
La République est un héros

Dont le monde entier verra luire
Le front magnifique et vermeil.
Les monstres qu'elle veut détruire
A la clarté du grand soleil,

C'est d'abord toi, pâle Misère,
Qui mets ta main sur notre flanc,
Comme un aigle sa rude serre,
Et qui bois notre meilleur sang !

Et c'est toi, fantôme aux bras rouges,
Que la pensée a su flétrir
Et qui déjà croules et bouges,
Vieil Échafaud, qui vas mourir !

La République magnanime
Qui, pour sauver de leur enfer
Les peuples mourants qu'on opprime,
Trouve des canons et du fer,

Accueille les mères bénies,
Et, baissant ses yeux triomphants,
A des tendresses infinies
Pour les femmes et les enfants.

La République fraternelle,
Qui veut accomplir son mandat,
Pour garder la Ville éternelle
Se fait terrassier et soldat;

Sous la bombe et les incendies
Elle est au poste du danger;
Et quand de ses villes hardies
Elle aura chassé l'étranger,

Levant vers le ciel diaphane
Un clairon dans sa forte main,
Elle sonnera la diane
Pour éveiller le genre humain!

Octobre 1870.

# Châteaudun

CHATEAUDUN! qui vois des bourreaux
Où furent des cœurs de lion,
Tu nous parais, nid de héros,
Plus sublime qu'un Ilion.

Comme on fauche des épis mûrs,
Les boulets rougis et fumants
Ont dans les débris de tes murs
Dispersé tes abris charmants;

Mais tes fils, les chasseurs de loups,
Sont tombés purs et sans remords.
Ils étaient mille, et sous leurs coups
Dix-huit cents Prussiens sont morts.

Illustre cité (les Romains
Te nommaient ainsi) pour tes fils
Tu renaîtras! par tes chemins
On entendra, comme jadis,

Dans tes arbres en floraison
L'alouette éveiller l'écho.
La devise de ton blason
Dit : *Extincta revivisco!*

Mais, froid cadavre au pied des tours
Parmi les décombres mouvants
Fouillé par le bec des vautours,
Et cendre abandonnée aux vents,

Tu resplendis! patrie en deuil,
Qui, devant le destin moqueur
Moins obstiné que ton orgueil,
Portas la France dans ton cœur!

Car tes défenseurs belliqueux,
Frémissant d'indignation,
Laissaient à de plus lâches qu'eux
L'ignoble résignation ;

Voulant tous, d'un esprit têtu,
Que ton beau renom pût fleurir,
Ils eurent la mâle vertu
De tuer avant de mourir,

Et rien ne vaut le fier sommeil
De ces soldats couchés en rang
Sur la terre nue, au soleil,
Qui dorment, baignés dans leur sang.

   Octobre 1870.

# Le Turco

QUANT au lieutenant de turcos,
Il a la prunelle électrique.
Ses principes sont radicaux;
Il est tout noir, venant d'Afrique.

La dame — son nom triomphant
Est bien connu dans tout Mayence —
A de longs cheveux blonds d'enfant
Avec de grands yeux bleu-faïence.

L'une avait un bon cuisinier,
L'autre sa verve fanfaronne,
Si bien qu'enfin le prisonnier
Finit par plaire à la baronne.

Mais elle eut le cœur bien marri
Quand le mal fut fait. Ciel, dit-elle,
Tromper, hélas! un tel mari!
J'en sens une peine mortelle!

Un baron à seize quartiers,
Dont le burg, bravant les huées,
Pour ceinture a des bois entiers,
Et dort le front dans les nuées !

Un seigneur au cœur ingénu,
Qui parmi ses aïeux insignes
Compte Sigefroi le Cornu,
Et qui nourrit cinquante cygnes !

Un si digne maître ! un baron
Aux doux cheveux de miel, qui brave
Les hivers, et chasse au héron
Dans ses forêts, comme un landgrave !

A ces mots, plus navrée encor,
Dans la chambre même où l'on dine,
La pauvre baronne au front d'or
Fondait en pleurs, comme une ondine.

Morne, elle répétait toujours :
Trahir une telle noblesse !
Mais, fort expert en fait d'amours,
Voyant bien où le bât la blesse,

Le turco, tant de fois vainqueur,
Trouva l'argument sans réplique,
Et, l'embrassant d'un vaillant cœur,
Cria : Vive la République !

Octobre 1870.

# Réplique

LES Prussiens disent souvent :
Chez nous comme dans la Thuringe,
Il n'est pas un homme vivant
Qui ne soit plus adroit qu'un singe !

Nous savons rester à genoux
Plus immobiles que le marbre,
Et c'est un jeu d'enfant pour nous
De nous déguiser en tronc d'arbre.

Que le ciel soit bleu de saphir
Ou bien caché dans ses fourrures,
Nous passons, comme le zéphyr,
A travers les trous des serrures.

Gens érudits, nous copions
Molière, et — c'est par là que brille
Un système — nos espions
Sont imités de Mascarille.

Ève même aux divins appas,
Qu'embellit encor la céruse,
Ne nous en remontrerait pas :
Nous triompherions de sa ruse !

Les Prussiens, comme il leur plaît,
Célèbrent ainsi leur programme.
Puis ils disent aussi : Quelle est
La créature au nom de femme

Qui nous ferait mettre à genoux ?
Quelle est donc la dame assez fine
Qui peut venir à bout de nous ?
— Moi ! répond d'en haut JOSÉPHINE.

Et dans l'azur criant son nom,
Tumultueuse et débonnaire,
La bonne pièce — de canon
Fait taire la voix du tonnerre.

Octobre 1870.

# L'Histoire

Bismarck en soldat qu'on redoute
Parle, et, sans le contrarier,
L'austère Déesse l'écoute,
Pensive sous son vert laurier.

— Oui, dit le chancelier, en somme,
Berger ou comte palatin,
Monarque ou mendiant, tout homme
Est l'artisan de son destin.

Qu'il porte la pourpre ou la bure,
Pauvre ou détenteur d'un trésor,
Qu'il soit né dans la foule obscure
Ou sur le trône aux franges d'or,

Ses œuvres, dont il est le maître
Et dont il n'a pas hérité,
Décideront ce qu'il doit être,
Même pour la postérité !

Cet assassin à tête blonde
Qui prend la lyre d'Arion,
Néron, quoique maître du monde,
N'est qu'un insipide histrion.

Alexandre suit sa chimère
Comme un soldat sans feu ni lieu,
Et cependant l'aveugle Homère
De mendiant devient un dieu.

On ne saurait tromper la gloire
Devant l'avenir indigné.
Que devient un titre illusoire
Si nous ne l'avons pas gagné?

Murat, qui, d'un geste bravache
Voulant fendre en deux les cieux clairs,
Va, faisant siffler sa cravache
Parmi la foudre et les éclairs,

Qu'est-il pour la France hautaine,
Pour cette guerrière aux yeux bleus?
Un roi? non; mais un capitaine,
Un vague Roland fabuleux,

Un courtisan de l'aventure.
Et Marceau, tenant dans sa main
Son épée invincible et pure,
Est plus grand qu'un César romain!

C'est pourquoi, Déesse, si j'ose
Agir comme un roi, je suis roi,
Créant ma propre apothéose!
Bismarck, par ces mots qui font loi,

D'une manière péremptoire
Achève sa péroraison.
— Brigadier, lui répond l'Histoire,
Brigadier, vous avez raison!

Octobre 1870.

# Le Rêve

La Reine, dans sa chambre vide,
S'éveille éperdue et lassée,
Et sur son visage livide
Ruisselle une sueur glacée.

— Eh quoi! Votre Majesté pleure!
Quel est, dit la dame suivante,
Le rêve affreux dont à cette heure
Votre Majesté s'épouvante?

Mais la Reine, comme en furie,
Garde son angoisse terrible.
En vain sa suivante la prie :
— Non, dit-elle, c'est trop horrible!

Toute à la douleur qui l'accable,
Elle passe une heure mortelle,
Puis la vision implacable
Revient se poser devant elle!

8

Alors cette mère affolée,
Comme une lionne en son antre
Tragiquement échevelée,
Pose ses deux mains sur son ventre.

Octobre 1870.

# Le Jour des Morts

Je prends ces fleurs, dont les corolles
Ont encor des souffles vivants,
Et sur l'aile des brises folles
Je les disperse aux quatre vents.

Dans l'ombre où, tombés avec joie,
Vous frissonnez pâles et nus,
C'est à vous que je les envoie,
O soldats! ô morts inconnus!

O soldats morts pour la patrie!
Qui, déjà glacés et mourants,
L'avez acclamée et chérie,
O mes frères! ô mes parents!

O ma généreuse famille!
O parure de nos malheurs!
Ces fleurs dont la corolle brille,
Je vous les offre avec mes pleurs.

O mobiles, gais et superbes,
Si voisins de l'enfance encor,
Avec vos visages imberbes
Et vos cheveux aux reflets d'or !

Cavaliers, soldats de la ligne,
Turcos, par le soleil brûlés,
Vétérans au courage insigne,
Chasseurs d'Afrique aux fronts hâlés !

Où dormez-vous ? Pour vous sourire,
Où peut-on se mettre à genoux,
Héros qui voliez au martyre
Et qui l'avez souffert pour nous ?

Nous l'ignorons. C'est là peut-être.
Qui peut le dire ? Et c'est pourquoi,
Lorsque enfin nous allons renaitre,
Pleins de bravoure et pleins de foi,

Après ces longs jours de souffrance,
De haine et de meurtre exécré,
Le sol tout entier de la France
Nous sera désormais sacré.

Foule par la guerre immolée,
Nous adorerons en tout temps
Cette terre partout mêlée
A votre cendre, ô combattants !

Et quand la Paix aux mains fleuries
Aura, nourrice des chansons,
Ravivé l'herbe des prairies
Et les fleurettes des buissons,

Vos sœurs, vos mères, vos amantes
Viendront dans les champs embaumés,
Parmi les campagnes charmantes,
Chercher la place où vous dormez,

Pâles d'une espérance folle,
Et, rêveuses, suivant des yeux
Le ruisseau pourpré qui s'envole
Avec un bruit mystérieux,

La colline où frémit le tremble,
Le nid d'où l'oiseau s'envola
Et la place où le rosier tremble,
Se diront : C'est peut-être là !

Novembre 1870.

# Les Fontaines

Lorsque la Ville était heureuse,
Les fontaines, depuis l'aurore,
Disaient d'une voix amoureuse
Leur chanson tremblante et sonore.

Leurs gais jets d'eau, sous la feuillée
S'envolant en gerbes fleuries,
Dans la lumière ensoleillée
Éparpillaient des pierreries,

Et, baignés d'une clarté blonde,
Leurs bassins, riant sous les grilles,
Reflétaient dans leur eau profonde
Les visages des belles filles.

Même la nuit, quand sous la brume
Paris, toujours prêt aux extases,
Mettait à son front qui s'allume
Une parure de topazes,

Leur murmure disait encore
D'une voix amie et touchante :
Noble Ville que l'Art décore,
Vis et travaille en paix : je chante !

Et j'aimais jusqu'à leur silence !
Mais à présent, dans les ténèbres
Chacun de leurs jets d'eau s'élance
En jetant des plaintes funèbres.

Ainsi que des démons fantasques
Menant des danses illusoires,
Je vois tristement dans leurs vasques
Passer de vagues formes noires.

De mystérieuses Chimères
S'y viennent ébaucher en foule,
Et moi, plein de larmes amères,
Je songe à tout le sang qui coule,

Versé, versé comme un flot sombre
Par nos batailles incertaines, —
Quand j'entends s'exhaler dans l'ombre
Le gémissement des fontaines.

Novembre 1870.

# Le Moineau

> Rien n'est plus utile, rien n'est
> meilleur que d'avoir des ailes.
>
> Aristophane, *Les Oiseaux*.

Nous traversions une prairie
Dont le gazon à ciel ouvert
Brillait d'un éclat de féerie;
Et sur son riant tapis vert,

D'où s'enfuit la blanche colombe
Emportant son léger fardeau,
Nous vîmes un éclat de bombe
Que la pluie avait rempli d'eau.

Tirailleur précédant sa troupe,
Un oiselet, un moineau-franc
Buvait à cette large coupe,
Dont le dehors, taché de sang,

Était enfoncé dans la boue.
Sans songer à rien de fatal,
L'oiseau folâtre, qui se joue,
Y buvait le flot de cristal.

Dans la prairie, où se lamente
Le zéphyr aux parfums errants,
Je vis cette chose charmante,
Et je m'écriai : Je comprends !

Je comprends enfin. O prairie,
Sous ton beau ciel aérien
Ceux qui font la rouge tuerie
Ne l'auront pas faite pour rien !

Je disais parfois, je l'avoue,
Pensant à ce qui nous est cher :
A quoi sert le canon qui troue
Toutes ces murailles de chair ?

A quoi bon tant de meurtrissures ?
Et, sous la mitraille de feu,
Toutes ces lèvres des blessures
Que l'on entend crier vers Dieu ?

Guerre ! il faut que tu me révèles
Pourquoi tes coursiers, en chemin,
Foulent des débris de cervelles
Où vivait le génie humain !

9

Oui, je parlais ainsi, poëte
Ayant en souverain mépris
La bataille, sinistre fête. —
Mais, à présent, j'ai tout compris !

Non, ce hideux massacre, où l'homme
Égorge l'homme sans remords,
N'était pas inutile, en somme, —
Puisque les amas de corps morts,

Tant de dépouilles méprisées,
Ces pâles cadavres cloués
A terre, ces têtes brisées,
Tous ces affreux ventres troués

Aboutissent à quelque chose.
Car s'éveillant, ô mes amis,
Sous le regard de l'aube rose,
Ce champ plein de morts endormis,

Ce charnier de deuil et de gloire
Au souffle pestilentiel,
A la fin sert à faire boire
Un tout petit oiseau du ciel !

Novembre 1870.

# A la Patrie

Oui, je t'aimais, ô ma Patrie !
Quand, maîtresse des territoires,
Tu menais de ta main chérie
Le chœur éclatant des Victoires ;

Lorsque, souriante et robuste
Et pareille aux Anges eux-mêmes,
Tu mêlais sur ta tête auguste
Les lauriers et les diadèmes !

Vivant passé, que rien n'efface !
Les peuples, ô grande ouvrière,
N'osaient te regarder en face
Dans ta cuirasse de guerrière ;

Et toi, retrouvant dans ton rêve
L'âme de Pindare et d'Eschyle,
Tu portais, sans laisser ton glaive,
La lyre des Dieux, comme Achille !

Calme sous l'azur de tes voiles,
Et multipliant les prodiges,
Tu pouvais semer des étoiles
Sur les rênes de tes quadriges;

On louait ta blancheur de cygne
Et ton ciel, dont la transparence
Charme tes forêts et ta vigne;
On disait : Voyez! c'est la France!

Oui, je t'aimais alors, ô Reine,
Menant dans tes champs magnifiques
Brillants d'une clarté sereine
Tous les triomphes pacifiques;

Mais à présent, humiliée,
Sainte buveuse d'ambroisie,
Farouche, acculée, oubliée,
Je t'adore! Avec frénésie

Je baise tes mains valeureuses,
A présent que l'éponge amère
Brûle tes lèvres douloureuses
Et que ton flanc saigne, — ma mère!

Novembre 1870.

# Le Bavarois

Et ce que les Sarrazins et barbares
iadis appeloyent proesses, maintenant nous appelons briguanderies
et meschancetez...

R A B L L A I S .

COMME le faisait autrefois
Cet héritier de Charlemagne
Dont l'ombre épouvantait les rois, —
Le futur César d'Allemagne,

Le vieux roi Guillaume, rêvant
Globe d'or et pourpre enflammée,
Se promène à pas lents, devant
Le front immense d'une armée.

Joyeux, il flatte son coursier.
Puis il dit : — C'est bien. Plus d'entraves.
Les canons de bronze et d'acier
Et les Saxons — ont été braves.

Soldats! Je suis content de vous!
— Nous prendrons Londres comme Vienne,
Et si l'un de vous est jaloux
De parler à son roi, qu'il vienne!

A ces mots du doyen des rois,
Pâle et plus jaune que la cire,
Un jeune soldat bavarois
Quitte les rangs, et lui dit : — Sire!

Les Bavarois ne sont pas gais.
Paris est gardé comme l'arche,
Et nous sommes tous fatigués
Depuis six grands mois que je marche.

De plus, une si grande faim
Nous déchire, sombre femelle,
Que je me résoudrais enfin
A manger du cuir de semelle!

On ne nous nourrit que de vent,
C'est là ce dont nos cœurs s'émeuvent,
Et l'on nous met toujours devant
A l'endroit où les balles pleuvent.

Les jeunes comme les anciens
D'entre nous jonchent la clairière.
O mon roi! quant aux Prussiens
De Prusse, ils sont toujours derrière.

Puis le froid vient nous épier
Et nous tient sous sa dent mortelle
Avec nos souliers de papier
Et nos capotes de dentelle!

Ainsi le soldat qui pâlit
Défile son triste rosaire.
Le Roi lui dit : — Pauvre petit!
J'aurai pitié de ta misère.

Tu souffrais quand je triomphais!
Mais quoi! je ne suis pas un Russe. —
Allons, console-toi, — je fais
Notre Fritz maréchal de Prusse!

Novembre 1870.

# Rouge et Bleu

O République ! dans leur antre
Il fut des traitants rabougris
Qui faisaient un dieu de leur ventre
Et que le Vice avait pourris.

Ceux-là, pour qui les heures douces
Avaient des plaisirs de haut goût, —
Les acheteurs de filles rousses
Et les marchands de rien du tout,

C'étaient les faiseurs de pastiches,
Si jolis, — si tristement laids,
Et les gentilshommes postiches :
Ils sont partis ! bénissons-les,

Ces petits-crevés sans haleine,
Sans âme et sans barbe au menton,
Qui riaient d'Orphée et d'Hélène
Avec des Phrynés de carton !

Ce qui reste dans tes murailles
Où l'on ne connait pas l'effroi,
Par le sang et par les entrailles,
O Paris! est digne de toi.

Ceux qui demeurent, sur la lèvre
Ont la bataille sans merci;
Et, fils de Mercier ou de Febvre
Ou bien fils de Montmorency,

Ils ont des cœurs que rien ne glace,
Et combattre est leur seul besoin.
Tes fils, ô grande Populace,
Et les marquis venus de loin

Ont les désirs qui sont les nôtres;
Et Paris, qui veut tout souffrir,
Voit que, les uns comme les autres,
Ils savent marcher et mourir.

Le peuple, fait d'âmes stoïques,
Ayant brisé son vieux lien,
S'envole aux trépas héroïques,
Et les marquis meurent, très bien.

Ils vont où le plomb tue ou blesse,
Les uns font bien, les autres mieux;
Et tous, populace et noblesse,
Ils sont dignes de leurs aïeux!

10

Restés sans peur et sans reproche,
Jacques Bonhomme avec Roland,
Amadis de Gaule et Gavroche
Vont ensemble au combat hurlant,

Et, conquérant d'égales tombes
Devant la batterie en feu,
Mêlent, sous les éclats des bombes,
Le sang rouge avec le sang bleu !

Novembre 1870.

# Le Cuisinier

BISMARCK a dit: Pour les réduire,
Tous ces Parisiens que j'eus
En haine, *il faut les laisser cuire*
*Jusqu'au bon moment, dans leur jus.*

En attendant qu'il nous perfore,
Notre ennemi pille Varin,
Joue, emprunte sa métaphore
A l'art de Brillat-Savarin,

Se fait blanc comme une avalanche,
Et même, d'un air ingénu,
Décore de la toque blanche
Son crâne, ce blanc rocher nu.

Donc il se fait, d'un cœur tranquille,
Cuisinier. Oui. Pas de mot vain.
Il est cuisinier, — comme Achille !
Et, comme ce boucher divin.

S'il le peut, guerrier magnanime,
Jetant loin de lui son manteau,
Dans la gorge de la victime
Il enfoncera le couteau.

Il veut, ce nouveau Péliade
Choisi pour forger les destins,
Que les chants de son Iliade
Soient coupés de larges festins !

Lorsque sera venu le terme
Déjà fixé, la hache au flanc,
Il portera d'une main ferme
Le vase où doit tomber le sang.

Il veut, comme on faisait en Grèce,
Brûlant sous le ciel radieux
Les entrailles avec la graisse,
En offrir la fumée aux Dieux ;

Il veut, lui soldat qu'on redoute,
Cuirassier, général en chef,
Savoir quel goût, quand on les goûte,
Ont les vrais Parisiens ; — bref,

Il veut — c'est le désir en somme
Dont il fut toujours démangé —
Dire un jour de nous, le pauvre homme :
Ils étaient bons, j'en ai mangé !

Novembre 1870.

# Attila

Lorsque sur le monde un barbare
Passe sanglant et triomphant,
Et que dans son orgueil bizarre
Il se complait comme un enfant ;

Quand devant lui ses hordes viles
En hurlant ont rasé les tours
Et brûlé les maisons des villes
Et mis la nappe des vautours ;

Lorsque ces soldats en démence
Ont détruit les blés et le miel,
Et même jeté la semence
Au caprice des vents du ciel ;

Quand le ravageur fraternise
Avec la peste et l'Aquilon ;
Lorsqu'il dit : Ce peuple agonise
Et je le tiens sous mon talon !

Les vieillards et les jeunes femmes
Mourront, et les enfants aussi,
Pris dans mes filets et mes trames,
Parce que je le veux ainsi ;

Alors, au milieu du dédale
Des embûches et des trépas,
Apparait devant le Vandale
Un être qu'il n'attendait pas !

Cet inconnu dans les fumées
Se dresse, et d'un souffle géant
Disperse les noires armées
Dans les abimes du néant !

Quel est ce passant ? On l'ignore,
Et les peuples voient seulement
Qu'il porte sur son front l'aurore
Et dans ses yeux le firmament.

C'est un David à tête blonde,
Ayant l'enfantine rougeur
D'une vierge, et qui de sa fronde
Va lancer le caillou vengeur !

C'est Jeanne, la bonne Lorraine !
C'est quelqu'un dont l'éclair en feu
Respecte la tête sereine,
Et qui vient de la part de Dieu.

Mais, dis-tu, le cri des oracles
Depuis plus de mille ans s'est tu
Et c'en est fini des miracles !
— O chasseur d'hommes, qu'en sais-tu ?

Ce Dieu des combats que tu vantes,
Parfois, indigné dans l'azur,
Pour outil de ses épouvantes
Suscite quelque pâtre obscur.

Il vient conduit par une étoile
Et vêtu de grossiers habits,
Couvert d'un bleu sayon de toile
Ou d'une toison de brebis ;

Et pour ce héros solitaire,
Lorsque le moment est venu,
Attila n'est qu'un ver de terre
Qu'il écrase de son pied nu !

Novembre 1870.

# Orléans

Blessé, mourant, traînant son aile,
Un pauvre pigeon gris et blanc,
Apportant la bonne nouvelle,
Est arrivé, taché de sang.

Donc, ô Victoire, tu te lasses
De suivre machinalement,
En rampant dans les routes basses,
Le porte-cuirasse allemand !

Tu ne veux plus, sous nos huées,
Car, même en tombant, nous raillons,
Ainsi que les prostituées
Marcher vers les gros bataillons.

Tu reviens ! sois la bienvenue !
Dans les rangs d'où l'on t'exila
Tu ne pouvais être inconnue,
Puisque tes amants étaient là !

Ce vin d'espérance et de fièvre,
Ce noble, ce généreux vin
Dans lequel tu trempes ta lèvre
En nous offrant son flot divin,

Oui, c'est chez nous qu'on le savoure !
Nos fils, dont rien ne peut briser
La stoïque et mâle bravoure,
Connaissent ton rouge baiser.

Dans leurs maisons, au vent flottantes,
Ils savent te garder pour eux,
Et, lorsque tu quittes leurs tentes,
C'est une brouille d'amoureux.

Mais te voilà ! C'était un rêve.
Regarde-nous de tes yeux clairs,
Chère infidèle, dont le glaive
Met sur nos têtes des éclairs !

Et brisons leurs fourches caudines !
Là-bas, son épée à la main,
C'est Aurelles de Paladines
Qui t'emportait dans son chemin,

Et, recommençant notre histoire
Dans un long combat de géants,
Hurrah ! nos soldats de la Loire
Ont, en deux jours, pris Orléans !

11

Orléans! c'est là que la France
Trouve son plus cher souvenir;
C'est de là que la délivrance
Vers nous encor devait venir.

Là, ce flot d'azur qui s'allume
Au soleil, ces bois et le val
Qui la vit passer dans la brume,
Flattant de la main son cheval,

Tout nous parle de la guerrière!
O Prussien, qui t'aveuglais,
Orléans est la ville fière
D'où Jeanne a chassé les Anglais.

Ah! sans doute, forte et sereine,
Dans la nue, en armure d'or,
Avec nous la bonne Lorraine
Combattait cette fois encor!

Elle veille sur la chaumière!
Et nos ennemis, en fuyant,
Durent entrevoir la lumière
De son doux sourire effrayant!

Oui! sans cesse, ô fatal présage!
Le troupeau mené par Bismarck
Rencontrera sur son passage
La figure de Jeanne d'Arc!

Et si son nom vient sur ma bouche
Au jour éclatant du réveil,
Lorsque enfin notre honneur farouche
Prend sa revanche au grand soleil,

C'est parce que jadis, haïe
Des traitres qui sèment l'effroi,
Elle ne tomba que trahie
Par la lâcheté de son roi.

Et ce qui de tout temps vers elle
Ramène mon esprit charmé,
C'est que pour nous cette pucelle
Reste la foi du peuple armé,

Et que sa vertu d'héroïne
Brûle toujours, malgré les ans,
Flamme inextinguible et divine
Dans l'âme de nos paysans!

Novembre 1870.

# Le Mourant

*Le Soldat.*

Dans la fumée affreuse et noire,
Ayant du sang jusqu'aux genoux,
Il nous faut suivre la Victoire
Sans regarder derrière nous!

O mon vaillant frère, pardonne!
Moi, je me sens désespérer,
Car tu meurs, et je t'abandonne.
Ah! du moins, laisse-moi pleurer.

*Le Mobile.*

Non! car je meurs ivre de joie!
Va, suis là-bas nos tirailleurs
Que le canon blesse et foudroie;
Je n'ai pas besoin de tes pleurs.

Mon sang inonde les clairières ;
Mais, ô jour longtemps souhaité !
J'en vois naître ces deux guerrières,
La Vengeance et la Liberté !

### Le Soldat.

Mais tu t'en vas, si jeune encore !

### Le Mobile.

Frère, ce qui remplit mes yeux,
Ce n'est pas la nuit, c'est l'aurore.
Va combattre. Je suis joyeux.

### Le Soldat.

Une douce lèvre fleurie
Sans doute eût béni ton retour !

### Le Mobile.

Ma fiancée est la Patrie !
Qu'elle ait mon dernier cri d'amour !

### Le Soldat.

Et plus tard, dans ta maison close,
Des enfants, beaux comme des lys,
T'auraient tendu leur bouche rose.

### Le Mobile.

Ceux-là qui vaincront sont mes fils !

Que l'azur sur leurs têtes brille!
Ils vont me suivre et me venger.
On n'a ni maison ni famille
Sous le talon de l'étranger.

*Le Soldat.*

Et ta mère, au front angélique!

*Le Mobile.*

Orpheline par mon trépas,
Je la lègue à la République.
Va donc, et ne me pleure pas.

*Le Soldat.*

Je ne pleure plus, je t'envie!
Exhale en paix d'un cœur fervent
Le dernier souffle de ta vie!

*Le Mobile.*

Le clairon t'appelle. En avant!

Novembre 1870.

# L'Ane

L'ANE, aimé de Titania,
N'a qu'un seul défaut, tout physique :
C'est que de tout temps il nia
Les délices de la musique.

Il mange les chardons qu'il voit,
O la précieuse nature !
Méprise la boue, et ne boit
Que dans une eau splendide et pure.

Douce monture de Jésus,
Il est tout joyeux le dimanche.
Ses chants sont un peu décousus,
Mais il porte au dos la croix blanche.

Il aime ce qui nous est cher,
Et ne commet point de rapines ;
Cependant nous trouons sa chair
Avec les durs bâtons d'épines.

Et quand il est mort, tous les jours
Pour nos concerts et pour nos luttes,
On fait de sa peau des tambours,
Et de ses tibias des flûtes.

Il nous croit bons, rêveur charmant !
Nous flatte de sa longue queue,
Et nous regarde tendrement
De sa vague prunelle bleue.

Tant de haine et tant de fureur
N'ont pas troublé sa douceur d'ange,
Et le laissaient dans son erreur :
A présent voici qu'on le mange !

C'est que Bismarck et les destins
Sont d'une humeur capricieuse !
Et le pauvre être à nos festins
Offre une chair délicieuse.

Elle a conservé le parfum
Du pré fleurissant qui verdoie,
Et, malgré son léger ton brun,
Sa graisse vaut la graisse d'oie.

Comme lorsqu'on prend des galons
On n'en saurait jamais trop prendre,
Nous, ingrats, nous nous régalons
De ce manger bizarre et tendre.

Ane, qui te protégera?
Car, je le dis, quoiqu'il m'en coûte,
A l'avenir on mangera
Toujours des ânes, sans nul doute!

Pourtant rassurez-vous, pédants,
Barnums, cuistres, faiseurs de banques,
Spadassins, arracheurs de dents,
Pitres, charlatans, saltimbanques!

Rassurez-vous, faux avocats
Instruits au seul talent de braire,
Et toi, rimeur, qui provoquas
Au suicide ton libraire!

Vous qu'on vit, troupeau révolté,
Prendre pour des accords de lyre
Des chants de Jocrisse exalté,
Rassurez-vous, cols en délire!

Oui, rassurez-vous, manitous!
Fabricants de vieux vers classiques,
Rassurez-vous! Rassurez-vous,
Paillasses, Pierrots et Caciques!

Et toi, vendeur d'orviétan
Qui séduis la rouge et la noire!
Rassure-toi, beau capitan
Que l'on admirait à la foire,

12

Et tâchez de faire tenir
Vos anciens plumets sur vos crânes ; —
Jamais nous ne pourrons venir
A bout de manger tous les ânes !

Novembre 1870.

# Chien perdu

QUAND, s'étant coiffé de son heaume,
Il partit pour venir ici,
Bismarck suivit le roi Guillaume;
De Moltke le suivit aussi.

Les princes aussi les suivirent;
Puis après, généralement,
La Prusse, puis tous ceux qui virent
Lever le soleil allemand.

Ils vinrent, ceux de la Bavière
Et même les Wurtembergeois,
Et le sang, comme une rivière,
Lava les pieds de ces bourgeois.

Rassasiés de funérailles,
Ils croyaient entrer à Paris;
Mais, foudroyés par nos murailles,
Ils durent s'arrêter, surpris.

Et, savourant, parmi ces drames,
Tout l'ennui qu'on peut éprouver,
Ils écrivirent à leurs femmes
Qu'elles vinssent les retrouver.

Alors vers leurs lèvres gourmandes,
Pour mettre un terme à leurs tourments,
Vinrent les femmes allemandes
Avec les petits Allemands.

Puis, lorsqu'en vain ils essuyèrent
Les écuelles d'un air câlin,
Les chiens prussiens s'ennuyèrent;
Ils vinrent aussi de Berlin,

Espoirs des futurs holocaustes! —
Moi-même j'en vis quelques-uns
Flâner jusqu'à nos avant-postes;
Des noirs, des jaunes et des bruns.

Un surtout, — oh! si triste! Seule,
Sa queue était gaie. Il tenait
Une sébile dans sa gueule,
Pour apitoyer Dumanet.

Et même, d'une façon nette,
Je compris qu'il eût au besoin
Joué des airs de clarinette,
Et pris le roi Zeus à témoin.

Cet animal était habile!
Par un geste vraiment trouvé,
Bien vite il posa sa sébile
Tout près de moi, sur un pavé.

— Pauvre chien vagabond, lui dis-je,
Que veux-tu? Dis, que te faut-il?
Mais soudain, — ô rare prodige
Permis par quelque dieu subtil, —

J'entendis parler ce caniche!
Et comme je tirais deux liards
Pour le renvoyer à sa niche,
Il répondit : — Cinq milliards!

Novembre 1870.

# La Contagion

La Contagion, dans ce temps
Épouvantable des histoires,
Sur nos ennemis hésitants
Éparpille ses flèches noires.

Ils meurent en leurs lits fiévreux,
Tandis que dans leur âme crie,
Au milieu de songes affreux,
La figure de la Patrie.

D'un œil morne et vivant encor,
Ils voient, loin des salles moroses,
Leurs femmes aux longs cheveux d'or
Et leurs enfants aux bouches roses.

Et brûlants, le sein haletant,
Ils cherchent, dans leur longue épreuve,
Le gai village, reflétant
Ses maisons blanches dans le fleuve !

Ils meurent, soldats, cavaliers,
Jeunes gens gais comme l'aurore,
Par centaines et par milliers,
Et la chaux vive les dévore.

Parfois, sentant comme un remord
A voir cette masse vivante
S'écrouler ainsi dans la mort,
Leur chef se trouble et s'épouvante.

— Fléau, dit-il d'un cœur transi,
Que veut ta rage envenimée?
Pourquoi viens-tu me prendre ainsi
Tout le meilleur de mon armée?

Pourquoi viens-tu nous immoler?
Mais la Contagion impure
Devient visible et fait voler
Les serpents de sa chevelure,

Et parle ainsi : — Quand les clairons,
Déchaînés sur les territoires,
Font frissonner les ailerons
Noirs et sinistres des Victoires ;

Quand montent les arcs triomphaux ;
Quand les Batailles aux longs râles
Vont tranchant de leur large faux
Des moissons de cadavres pâles ;

Quand vous avez dit : Tue ou meurs!
Quand de la terre qui poudroie
Montent d'effroyables clameurs;
Quand la Guerre tonne et foudroie

Au milieu des champs douloureux,
Cette meurtrière à l'œil sombre
M'apporte dans le vol affreux
De ses ailes. Je suis son Ombre.

Novembre 1870.

# Les Rats

Dans un coin retiré du parc,
Les Rats, assis sur leurs derrières,
Regardent monsieur de Bismarck
Sous les ombrages de Ferrières.

Les yeux enflammés de courroux,
Et lui tirant leurs langues roses,
Les petits Rats blancs, noirs et roux,
Lui murmurent en chœur ces choses :

— Cuirassier blanc, qui te poussait
A vouloir cette guerre étrange?
Ah! meurtrisseur de peuples, c'est
A cause de toi qu'on nous mange!

Mais ce crime, tu le paieras.
Et, puisque c'est toi qui nous tues,
Nous irons, nous les petits Rats,
En Prusse, de nos dents pointues

13

Manger les charpentes des tours
Et les portes des citadelles, —
Plus affamés que les vautours
Qui font dans l'air un grand bruit d'ailes !

Tu nous entendras dans le mur
De ton grenier, où l'ombre est noire,
Tout l'hiver manger ton blé mûr,
Avant de grignoter l'armoire !

Puis nous rongerons l'écriteau
Qui sacre un nouveau Charlemagne,
Et même le rouge manteau
De ton empereur d'Allemagne,

Toujours, toujours, à petit bruit,
D'une dent aiguë et folâtre
Mâchant et mordant, jour et nuit,
Ces accessoires de théâtre ;

Puis, sous les yeux de tes valets,
Nous couperons, ô philanthrope !
Les mailles des hideux filets
Où tu veux enfermer l'Europe !

Novembre 1870.

# Versailles

Versailles regarde la route,
Muet et se sentant frémir,
Et son peuple de marbre écoute
La voix des fontaines gémir.

Maître des palais et des bouges,
Le roi Guillaume sort, coiffé
D'une casquette à galons rouges.
Il est simple, ayant triomphé.

A travers la campagne verte,
Il passe d'un air indulgent
Dans sa calèche découverte,
Entre deux cuirassiers d'argent.

Puis il rentre. O gaietés champêtres!
Pendant qu'il dine, on fait un peu
De musique sous ses fenêtres.
C'est bien modeste pour un dieu!

Haïssant la lâcheté vile
Et mal instruits aux trahisons,
Tous les habitants de la ville
Sont enfermés dans leurs maisons.

Mais sous leurs cheveux en broussailles
Le visage de blanc couvert,
De fausses *dames de Versailles*
Agrémentent le tapis vert.

Ce sont les rousses fiancées
De tout le monde, — au cœur bavard,
Que, par décence, on a chassées
De nos cafés du boulevard.

Les officiers, par politesse
Pour des Phrynés que nous cotons,
Disent : Madame la comtesse,
Au nez rose de ces Gothons,

Et s'inclinent jusqu'à leur ventre.
Le soir vient. Lise et Turlupin,
Tout ce beau monde en carton — rentre
Dans quelque boite de sapin,

Et sur toi, dans les maisons closes,
Sans lumière dans leur mur blanc,
France des épis et des roses,
On verse des larmes de sang !

Cependant les officiers glabres,
Avec un cynisme innocent,
Font trainer lourdement leurs sabres
Sur le pavé retentissant,

Et l'on entend sous les murailles
Qui déjà tressaillent d'espoir,
Cet absurde bruit de ferrailles
Déchirer le silence noir.

Novembre 1870.

# Aux Compagnies de guerre

## du dix-huitième bataillon

Pour notre pays, que dévore
Un envahisseur exécré,
Frères, vous allez, à l'aurore,
Combattre le combat sacré !

O forgerons de notre histoire !
Vous partez, libres et joyeux,
Et déjà l'ardente Victoire
Semble étinceler dans vos yeux.

Vous courez à la délivrance,
Cœurs fiers que rien ne peut briser,
Emportant le nom de la France
A vos lèvres, comme un baiser ;

Et vous mêlez l'Hymne française,
Toute pleine de vos amours,
L'incorruptible *Marseillaise*
Au long roulement des tambours!

Allez dans la plaine meurtrie
Vaincre ces maudits. Il le faut.
Ici l'adorable Patrie
Vous encourage, et Dieu là-haut!

Sur le Vandale, sur ce rustre
Allez venger le vieil affront;
Allez vers la bataille illustre,
Et tous iront, tous vous suivront;

Pour briser l'exécrable piège,
Tous vous suivront au grand soleil :
Les vieillards aux cheveux de neige
Et les enfants au front vermeil.

Et nous chasserons le barbare
Ivre de haine et de trépas,
Jusque vers son pays avare
Dont le sol ne le nourrit pas!

Frères! sous le canon qui tonne
Entendez frémir nos bourreaux.
Il dit, l'ennemi qui s'étonne :
Quel est ce peuple de héros!

Trahi, vaincu, dans les fumées
Il ressuscite, vigilant;
Il se relève, et les armées
Jaillissent de son cœur sanglant!

Oui, c'est l'heure des grands spectacles!
Compagnons, vous triompherez.
S'il faut d'impossibles miracles
De bravoure, vous les ferez.

Et déjà de son auréole
Ennoblissant jusqu'aux haillons,
Voici que la Victoire vole
Sur le front de nos bataillons.

Allez donc! Nous saurons vous suivre
Et marcher dans votre chemin :
La voix des fanfares de cuivre
Retentit. Frères, à demain!

Décembre 1870.

# Scapin tout seul

Or un nouvel acteur bouffon
Vient, jouant le tortionnaire,
Prendre son haleine au typhon
Et ses hurlements au tonnerre.

Sans tache, comme un aubépin,
Il porte, dans sa gloire insigne,
L'habit blanc qui sied à Scapin,
Couleur de la neige et du cygne.

Mais il perce l'azur du ciel
Avec sa moustache effroyable
Qui n'a rien d'artificiel,
Et, sacrant toujours comme un diable,

Il fait rage avec son manteau,
Comme pour éteindre Gomorrhe, —
Car il fait les don Spavento,
Les Fracasse et les Matamore.

14

— Ah! tête! Ah! ventre! Ah! Belphégor!
Dit-il, qui faut-il que je perce
Tout d'abord, ou le grand mogor
Ou bien le grand sophi de Perse?

Donnons. Ferme. Poussons. Tenez.
Ah! morbleu! si je m'évertue!...
Soutenez, marauds, soutenez.
Ah! coquins! Ah! canaille! Tue!

Il reprend : J'ai mis aujourd'hui
Mars et Jupiter dans les bagnes.
Ah! veillaques ! je suis celui
Dont le fer tranche les montagnes!

Surtout, s'il a peur de l'éclair,
Que nul, quelle que soit sa taille,
N'aille, ni dans l'eau ni dans l'air,
Franchir mes lignes de bataille!

Fût-ce un pigeon qui suit le vent,
Je ne m'en inquiète guère ;
Le pigeon passera devant
Les juges du conseil de guerre.

Pour les dépêches, qu'en ballon
La brise emporte par surprise,
Elles me trahissent, et l'on
Jugera, s'il le faut, la brise.

Et si, tremblantes à demi,
Les étoiles, ouvrant leurs voiles,
Renseignent sur moi l'ennemi,
Je fusillerai les étoiles !

Parlant ainsi, lorsqu'il s'émeut,
De massacres et de désastres,
Matamore fait ce qu'il peut
Pour ferrailler contre les astres.

Et lorsque, non sans un soupir,
Planté devant un mur d'auberge,
Il a tailladé le zéphyr,
Il essuie encor sa flamberge.

C'est ainsi que, cherchant le trait,
Par ces époques insalubres,
Monsieur de Bismarck se distrait
En jouant les Scapins lugubres.

Décembre 1870.

# A Meaux, en Brie

Avec ses cohortes guerrières
Ayant traversé les hameaux,
Après avoir quitté Ferrières,
Le bon roi Guillaume est à Meaux.

Comme il chemine vers les banques,
Dans le but de les prendre en flanc, —
Sur la place, des saltimbanques
Regardent le monarque blanc.

Ces gais comédiens en fête,
Ces Rachels et ces Frédéricks
De rencontre, dont la tempête
A léché les pâles carricks,

C'est Atala, c'est Zéphirine,
Fleur que Sosthènes invoquait,
Et Gringalet, que tout chagrine,
Et leur maître à tous, Bilboquet.

Or, dans la ville de province
Toute noire de Bavarois,
Ils se dévisagent, le prince
Des bouffons et le roi des rois.

Tous deux sont grands et font campagne.
Si Guillaume, le pourfendeur,
A la fureur de Charlemagne,
Bilboquet en a la splendeur.

Car sur son dos le carrick flotte ;
Et, flamboyant devant ses pas. —
Comme il s'en fit une culotte.
La pourpre ne l'étonne pas.

Le grand saltimbanque fantasque
Voit l'aigle de cuivre écrasé
Sur le cuir miroitant du casque
Dont se coiffe le roi rusé ;

Alors, ôtant son feutre glabre,
Que chaque ouragan bossuait,
Et qui fut fait à coups de sabre,
Il dit ces mots : O Bossuet !

Chacun à sa manière dine.
Qu'un aiglon soit un bon régal
Étant mis à la crapaudine,
Je le veux bien. Mais c'est égal,

J'admire, en riant comme un faune
En ce monde rempli de maux,
Qu'un tel oiseau de cuivre jaune
Soit aujourd'hui... l'aigle de Meaux !

Décembre 1870.

# Espérance

CHER être pour qui nuit et jour
Frémit notre âme révoltée,
Patrie, ô notre seul amour,
O ma patrie ensanglantée !

O toi, pour qui sur les sommets
S'envole à Dieu notre prière,
On te croyait morte à jamais :
Non, tu te relèves, guerrière !

Tes bras affaiblis et mourants
Se sont roidis, tout noirs de poudre ;
L'éclair de tes yeux fulgurants
Lutte avec l'éclair de la foudre,

Et tu viens, avec tes canons,
Dans la grande plaine enflammée,
Criant à l'ennemi tes noms,
O République ! France armée !

Tu marches par les champs fumants,
Au cri de tes musiques fières,
Ici fauchant les régiments,
Et là franchissant les rivières!

Et tes généraux, qui vers toi
Tournent leur front docile et tendre, —
Levant leur glaive sans effroi,
Disent à la mort : Viens nous prendre!

Et tout change enfin, et je vois,
Aux pâles hordes échappées,
Les Victoires, comme autrefois,
Suivre le vent de leurs épées;

Et le ciel lui-même a souri
Dans la nue, et je vois, ô France!
Flotter devant ton front chéri
Le voile bleu de l'Espérance!

Décembre 1870.

# Monstre vert

Doucement... ce n'était qu'un
rêve... O lâche conscience, comme
tu me tourmentes !

SHAKSPERE, *Richard III*.

DE Moltke est assis. Triste, il bout
Dans ses colères anxieuses.
Près de lui se tiennent debout
Deux guerrières silencieuses.

L'une est plus pâle que la Mort.
Sa main en fuseau se termine,
Et, les dents longues, elle mord
Le vide. On la nomme Famine.

L'autre est terrible à voir. Rampants,
Sifflants, tordant leur annelure
Sur son front, un tas de serpents
Hideux lui sert de chevelure.

Son visage effroyable est vert ;
Et flamboyant sur ses dents plates,
Dans sa bouche, rictus ouvert,
Volent trois langues écarlates,

Une Gorgone sur le sein,
Chimère qui semble vivante,
Elle a dans ses mains le tocsin
Funèbre : on la nomme Épouvante.

Le général, dont les douceurs
Sont au-dessus de tout éloge,
Lève ses yeux vers les deux sœurs,
Et tour à tour les interroge.

— Famine, dit-il, apprends-moi
Si les Parisiens se rangent.
— Non, répond la Stryge. O mon roi,
Je n'ai pas de bonheur. Ils mangent !

— Problème profond comme un puits !
Ils mangent ! C'est de la féerie,
S'écrie alors de Moltke. Puis
Interpellant l'autre Furie :

— As-tu su les pousser à bout,
Guerrière, de serpents couverte ?
Demande-t-il. — Moi ? pas du tout,
Lui répond la figure verte.

Seigneur, le but n'est pas atteint!
Ils ont vu (cela m'ensorcelle)
Que j'étais faite en papier peint,
Et que vous teniez ma ficelle!

Décembre 1870.

# Les Chefs

L'HEURE formidable où nous sommes
Ne veut pas que nos généraux
Ne soient que des conducteurs d'hommes.
Ils sont soldats, ils sont héros,

Et comme ceux qui, d'habitude,
Faisaient flamboyer leur cimier
Où le choc était le plus rude,
Et, Roland ou François Premier,

Mettaient la main à la besogne,
Ils osent, s'en souciant peu,
Combattre sans nulle vergogne
Et montrer leur poitrine au feu.

Il ne faut pas qu'on les en raille!
La folle bravoure leur sied.
Quand leurs chevaux sous la mitraille
Tombent, ils vont encore à pied;

Ils vont vers la Mort, cette louve,
La nuit, lui barrant le chemin,
Et la rouge aurore les trouve
Un tronçon de sabre à la main !

Puis, ignorant l'orgueil servile,
Noirs de poudre, sanglants, blessés,
Ces vainqueurs rentrent dans la ville,
Triomphants, et les yeux baissés.

Leurs âmes n'étant point esclaves,
Chacun d'eux pour la tombe est prêt.
S'ils pouvaient, ces braves des braves,
Envier quelqu'un, ce serait

Celui qui succombe en silence,
Beau de sa mâle austérité,
Veillé sur son lit d'ambulance
Par une sœur de charité,

Et qui, pâle, étend sa main blanche,
Voulant conjurer nos malheurs,
Tandis que vers son front se penche
Un vieux soldat qui fond en pleurs.

Décembre 1870.

# Sabbat

Ah! au milieu du chant, une
souris rouge lui a jailli de la bouche.

GŒTHE, *Faust.*

C'EST le sabbat. Des femmes nues
Aux ailes de chauve-souris
Volent prestement dans les nues,
Au-dessus des toits de Paris.

GERMANIA mène la danse,
Plus folle qu'un cheval sans mors
Ou qu'une urne qui n'a plus d'anse,
Sur la colline où sont les morts.

Cette Gretchen dorée et blanche,
Dans ses prunelles de saphir
Montre des reflets de pervenche.
Elle frémit pour un zéphyr

Ou pour un brin d'herbe qui bouge,
Comme une Agnès au temps jadis;
Mais parfois une souris rouge
Sort de sa bouche aux dents de lys!

En face d'elle se trémousse
Un cuirassier, brillant Myrtil,
Qui fait merveille sur la mousse.
— Oh! le beau sabbat! lui dit-il;

Sous ce brillant habit de reitre,
Sans plume de coq ni manteau,
Qui diable pourrait reconnaître
Le vieux compère Méphisto?

D'où je viens avec mon amante,
On ne s'en doutera jamais,
Et je veux, ô ma Bradamante,
Vous faire impératrice! — Mais,

Comme il la berce d'un tel conte,
Embéguiné dans ses amours,
De Moltke dit : Pardon, cher comte!
On vous reconnaîtra toujours,

Tant votre valeur a de lustre, —
Fussiez-vous même à Fernambouc;
Et là, dans votre botte illustre
On voit très bien le pied de bouc!

Décembre 1870.

# La Flèche

GERMAINS! venus de vos royaumes
Avec un détestable espoir,
Voyez-vous ce chœur de fantômes
Qui semblent sortir du ciel noir?

Blêmes sur les vagues ténèbres,
Ils souffrent d'horribles tourments
En voyant vos exploits funèbres, —
Et ce sont les grands Allemands!

C'est Herder et c'est Kant, génies
Parmi le peuple des esprits;
C'est Lessing, dont vos gémonies
Excitent le noble mépris;

C'est Gœthe, dont le front splendide
Sur vous comme un astre avait lui,
Qui de son regard de Kronide
Vous foudroie, et c'est, après lui,

Ce roi d'une foule éternelle,
Ce pur, ce glorieux Schiller
Baissant jusqu'à vous sa prunelle
D'où jaillit un farouche éclair.

O Germains! que vos rois se louent
De recoudre leurs vieux États :
Ces divins spectres désavouent
Leurs lauriers et leurs attentats!

Et lui, ce poëte lyrique
Dont la Muse avait déchiré
Toute leur pourpre chimérique;
Lui, le *Prussien libéré*,

Heine, le fils d'Aristophane,
Sous le succès empoisonneur
Voit, comme une fleur qui se fane,
Se sécher votre antique honneur!

Et, comme vos hommes de proie
Vantent leur triomphe, — si laid!
En son inextinguible joie
Il en rit, comme un dieu qu'il est!

Puis le front tourné vers la horde
Que mènent monsieur de Bismarck
Et son vieux maître, il tend la corde
Effrayante de son grand arc,

Et, visant à leurs cœurs de glace,
Vengeur dédaigneux et serein,
De sa main charmante il y place
Une flèche, lourde d'airain.

Ou si ce n'est lui, c'est son ombre
Qui fait cet exploit d'Apollon.
Archer vainqueur, sur le tas sombre,
Plus rapide qu'un aquilon,

Il lance la Rime avec joie,
En secouant ses cheveux roux,
Et dans l'air s'envole et flamboie
Le messager de son courroux.

Ah! vos maitres à l'âme sèche!
Ils emporteront dans leur chair
Le dard aigu de cette flèche
Jusqu'au pays qui leur est cher!

Les conquérants, bouchers en fête,
Se plaisent au charnier sanglant,
Mais le justicier, le poëte
Leur décoche le trait sifflant,

Et c'est pour toujours qu'il les blesse!
La morsure du fer vermeil
S'empare d'eux et ne leur laisse
Jamais ni repos ni sommeil.

Éternel outil de martyre,
Même dans le songe enflammé,
La cruelle flèche du Rire
Accroit leur mal envenimé,

Et la puissante main d'Hercule
Ne leur ôterait pas du flanc
Le dard terrible et ridicule
Qu'ils teignent toujours de leur sang.

Décembre 1870.

# La Résistance

STATUE DE FALGUIÈRE

> La force immatérielle vaincra la
> force brutale et, comme l'ange de
> Raphaël, mettra le pied sur la
> croupe monstrueuse de la bête.
>
> THÉOPHILE GAUTIER, *Musée de Neige.*

O Paris! un sculpteur qui pense
A ton grand cœur que rien ne tue,
A figuré ta RÉSISTANCE
Dans une héroïque statue.

Frêle et vaillante, âme gauloise
Dans son amour puisant sa force, —
D'un geste superbe, elle croise
Ses bras frémissants sur son torse;

Son pied nu, qui sur une pierre
Se crispe avec idolâtrie,
Semble s'agrafer à la terre
Adorable de la Patrie;

Comme pour dégager sa joue
A l'harmonieuse courbure,
Fiévreusement elle secoue
En arrière sa chevelure,

Et montre à l'adversaire horrible
Qui médite encor quelque ruse,
Sa tête, pour lui plus terrible
A voir que celle de Méduse.

Telle en sa blancheur est éclose
Cette belliqueuse Charite,
Que, dans sa merveilleuse prose,
Gautier, notre maitre, a décrite.

Vivante dans la phrase ailée,
C'est là que la race future
Pour laquelle il l'a ciselée
La trouvera, splendide et pure.

Car plus fragile que le givre,
Cette Ode à nos jeunes armées
Était destinée à ne vivre
Que dans nos mémoires charmées.

En effet dans sa foi profonde
Pour une majesté si rare,
L'artiste qui la mit au monde
Avait dédaigné le Carrare;

Même, pour une telle image,
Le Paros, dont la Terre est vaine
Parce que tout lui rend hommage,
N'eût pas eu d'assez blanche veine.

A cette tragique déesse,
Svelte et forte comme un jeune arbre,
Muse! il fallait une caresse
Plus pure que celle du marbre!

Et c'est pourquoi, tel qu'un poëte
Méditant sa divine stance,
Quand Falguière eut mis dans sa tête
De figurer LA RÉSISTANCE,

Il choisit la neige, — subtile,
Candide, étincelante, franche;
La chaste neige en fleur, qu'Eschyle
Nomme *la neige à l'aile blanche;*

La neige, près de qui l'écume
De la mer qui vogue indécise,
Et le lys sont gris, et la plume
Du cygne éclatant, paraît grise.

Il se souvint, l'âme éblouie,
Que rien, pas même un lys céleste,
N'égale en splendeur inouïe
L'ardente vertu qui nous reste;

Et prenant la neige lactée
Pour la pétrir sous la rafale,
O Résistance, il t'a sculptée
Dans cette matière idéale.

Décembre 1870.

## Les Pères

Riant à la dent qui le mord,
Plein d'une joie ardente et sûre,
Un jeune franc-tireur est mort,
Ces jours derniers, de sa blessure.

Nulle terreur sur son chevet
Ne secoua l'ombre morose
De son aile noire. Il avait
Seize ans, et sa joue était rose.

Seize ans! doux âge filé d'or!
Éclat de l'aurore première
Où sur nos fronts on voit encor
Flotter des cheveux de lumière!

Quand la Mort, hélas! triomphant,
Eut rendu jaunes comme un cierge
Le front mâle de cet enfant
Et ses lèvres de jeune vierge,

Le père, d'abord interdit
Par l'épouvantable souffrance,
Lorsqu'il s'en réveilla, ne dit
Que ces mots : Dieu garde la France !

Décembre 1870.

# La fausse Dépéche

Sachant qu'il nous reste du pain...
Et des confitures de pêche,
Le Prussien, passé Scapin,
Nous bâcle une fausse dépêche;

Puis on nous l'envoie — on se sent
Ravi de ces ruses de guerre —
Par un pigeon bien innocent
Qu'il nous a pris sur le *Daguerre,*

Et la signe : *Lavertujon !*
Mais Paris s'en frotte la panse :
En vérité, le plus pigeon
Des trois n'est pas celui qu'on pense.

La farce dont on crut subtil
De charger la pauvre colombe,
Était cousue avec un fil
Blanc comme la neige qui tombe.

Ah! ce conte du pigeonneau
D'une franche gaîté ruisselle!
Attila devient Calino!
Cyrus pille Cadet-Rousselle!

Donc, aigle prussien, après
Avoir volé, farouche et sombre,
Sur tant de morts, que les cyprès
Ne couvriront pas de leur ombre;

Après avoir, cruel et sec,
Ouvert tant de blessures noires,
Et si longtemps rougi ton bec
Dans le charnier de tes victoires;

Las enfin d'avoir triomphé,
Devant l'Europe spectatrice
Tu reviens te montrer, coiffé
De la perruque de Jocrisse!

Décembre 1870.

# Travail stérile

*Le Poële.*

O vous qui fûtes les amants
De toutes les vertus naguères,
Que faites-vous, bons Allemands,
Dans ces épouvantables guerres?

Jadis on voyait parmi vous
Des Achilles et des Pindares :
Que fais-tu, peuple brave et doux,
Au milieu des soldats barbares?

*Les Allemands.*

Ah! nous pensions, en vérité,
Fils de la patrie allemande,
Combattre pour sa liberté!
Mais un cuirassier nous commande.

Nous sommes blessés, nous saignons,
La liberté mourante expire,
Et dans notre sang nous teignons
La pourpre d'un nouvel empire!

### Le Poëte.

Vous, braves bourgeois de Leipsick,
Où vous mènent ces chefs serviles?

### Les Bourgeois.

Pour plaire au moderne Alaric,
Bourgeois, nous détruisons les villes.

### Le Poëte.

Et vous, commerçants de Hambourg?

### Les Commerçants.

C'est avec la Mort, qui nous berce,
Qu'à présent, au bruit du tambour
Nous continuons le commerce.

### Le Poëte.

Et vous, ô banquiers de Francfort?

### Les Banquiers.

Notre échéance est toute prête :
Chaque jour, de plus en plus fort,
Le Carnage sur nous fait traite.

*Le Poëte.*

Et vous, tisserands de Stuttgard ?

*Les Tisserands.*

Sombres ouvriers en démence,
La main roidie et l'œil hagard,
Nous tissons un linceul immense.

*Le Poëte.*

Et vous, écoliers de Munich
Et gais écoliers de Tubingue ?

*Les Écoliers.*

Nous étudions, en public,
L'art où le bourreau se distingue.

*Le Poëte.*

Et vous, brasseurs de Nuremberg ?

*Les Brasseurs.*

Nous brassons un triste breuvage,
Froid comme la neige au Spitzberg,
Et sinistre, et d'un goût sauvage.

### Le Poëte.

Et vous, hommes des temps anciens,
Quel est le labeur dérisoire
Qui vous mêle à ces Prussiens,
Bûcherons de la Forêt Noire?

### Les Bûcherons.

Exilés sur le grand chemin,
Dans l'horreur qui nous environne,
Nous frappons, la cognée en main,
Pour l'éternelle Bûcheronne.

### Le Poëte.

O bons Allemands qui, les nuits,
Roulez vos angoisses profondes,
Songez-vous aux navrants ennuis
De vos femmes aux tresses blondes?

### Les Allemands.

Nous, les fils du pays du Rhin,
Où naît la grappe savoureuse,
Nous marchons sous le joug d'airain,
Pour accomplir une œuvre affreuse,

Pâles, maudits, courbant nos fronts,
Menés comme l'esclave russe;
Et c'est ainsi que nous aurons
Travaillé pour le roi de Prusse !

Décembre 1870.

# Les Enfants morts

FAUTE d'un lait qui les nourrisse,
Les tout petits enfants, que mord
Une flamme exterminatrice,
Défaillent, glacés par la mort.

Les petits enfants meurent, meurent,
O pauvres anges familiers !
Il en est bien peu qui demeurent :
On les emporte par milliers.

Avec des fureurs imbéciles,
Nous restons là devant nos seuils,
A regarder en longues files
Passer les tout petits cercueils.

O chers petits ! leur œil se vide
Et s'enfonce dans un brouillard ;
En deux jours, leur front qui se ride
Ressemble à celui d'un vieillard.

18

Puis, hélas! charmants petits cygnes,
Orgueil fleuri de la cité,
Ils meurent avec tous les signes
Affreux de la caducité.

Roi Guillaume! à l'heure inconnue
Où notre âme, dans l'azur bleu,
Frissonne épouvantée et nue
Devant la colère de Dieu;

A l'heure où, sans que nulle excuse
Apaise ses yeux fulgurants,
La victime sanglante accuse
Les meurtriers et les tyrans;

A l'heure où les soldats, que paie
Ton empire aux fureurs voué,
Te montreront ouvrant sa plaie
Leur flanc hideusement troué;

A l'heure où les mères fatales
Tordant leurs minces doigts de lys,
L'horreur sur leurs têtes spectrales,
Viennent hurler : — Rends-nous nos fils!

Tu sauras bien que leur répondre!
Tu leur diras : — Au champ lointain,
Le rang que le boulet effondre
Est la pâture du Destin.

Ils étaient tous ce que nous sommes,
Des voyageurs nés pour souffrir;
C'étaient des soldats et des hommes,
Partant destinés à mourir !

Tu diras ainsi, roi Guillaume,
Pour tromper le maitre attentif,
Mais quand le tout petit fantôme
S'approchera de toi, pensif;

Lorsque, sans peur de ton épée,
Les tout petits, avec leurs doigts
Grands comme des doigts de poupée,
Débiles, sans regard, sans voix,

Te désigneront à Dieu même
Que rien ne saurait abuser,
Et lorsqu'ils tendront, flasque et blême,
Leur petit bras pour t'accuser;

Quand paraîtront, ô roi qui navres
Le désespoir et la vertu,
Ces anges devenus cadavres,
Dis-moi, que leur répondras-tu ?

Janvier 1871.

# Alsace

Toute désolée et meurtrie,
Notre Alsace, en proie aux horreurs,
Dans son sein de mère patrie
Nous trouve encor des francs-tireurs.

Où se forment-ils ? On l'ignore.
Calmes et le fusil aux doigts,
On les voit paraître à l'aurore,
Devant quelque bouquet de bois

D'où leur troupe au combat s'élance,
Ou bien émerger d'un rideau
D'arbres noirs, ou bien en silence
Suivre quelque petit cours d'eau.

Leur flot se masse ou s'éparpille ;
Harcelant, pillant les convois,
Ils fusillent, on les fusille ;
Ils vont, par les temps les plus froids,

Affrontant la neige brûlante
Et le plomb qui siffle à l'entour,
Embrasser une Mort sanglante
Avec de grands transports d'amour.

Mais en vain le plomb les dévore :
Exterminés, ils sont vivants ;
On les entend crier encore
Le nom de France aux quatre vents ;

Et l'Alsace française admire,
Sur son vieux sol bouleversé,
Ces enfants au hardi sourire
Qui renaissent du sang versé !

Janvier 1871.

# L'Empereur

L'EMPIRE est fait. Le roi, que flatte
L'Europe, attentive à son jeu,
Marche dans la pourpre écarlate
Et tient en main le globe bleu.

Tandis que les rois, dans leur force,
Ne sont que Victor ou que Jean,
Superbe, il peut couvrir son torse
De la cuirasse de Trajan.

Il est le divin porte-glaive;
Et les Allemands indécis
N'osent plus affronter qu'en rêve
Le froncement de ses sourcils.

Cachant son regard insondable,
Ainsi qu'une idole d'airain,
Il pose sa main formidable
Sur l'épaule du dieu du Rhin.

L'univers avec lui respire !
Mais tout à coup, — est-ce un hasard ? —
Vibre un énorme éclat de rire,
Qui raille le nouveau César.

Qui donc ? lui ! comme un roi vulgaire,
On le raille ! O deuil ! ô courroux !
Assemblez les conseils de guerre,
Et graissez à neuf les verrous !

Cherchez une tombe bien noire
Qui cache au monde extérieur
Cet insulteur de votre gloire,
Cet être effronté, ce rieur !

Non, non, ne dérangez personne,
Geôliers de l'empire naissant ;
Car ce rire effrayant qui tonne,
Ce grand rire retentissant,

Ce rire surhumain qui roule
De la terre jusqu'au ciel bleu,
Fort comme celui d'une foule
Et clair comme celui d'un dieu,

Et qui fait trembler l'Allemagne,
Sort, beau de joie et de fureur,
De la tombe de Charlemagne :
C'est Lui qui rit, Lui, l'Empereur !

        Janvier 1871.

# Marguerite Schneider

Qu'elles sont toujours romantiques,
Ces Gretchens aux chastes profils,
Ayant à leurs yeux angéliques
Des fils de la vierge pour cils!

Quels tendres lys! et comme il prouve
Des cœurs faits idéalement,
Ce paquet de lettres qu'on trouve
Sur tout fusilier allemand!

Marguerite Schneider, fleur rose
Ayant en son cœur un aspic,
Écrit en cette aimable prose
A son amant Jean Diétrich :

Bien-aimé, si chez l'hérétique
Où tes deux mains vont grappiller,
Tu passes par quelque boutique
Où les soldats pourront piller,

Au milieu des tas de merveilles,
Ne manque pas de me choisir,
S'il te plait, des boucles d'oreilles;
Elles me feront grand plaisir.

Ah! flamboyante d'étincelles,
Cette lettre au ton résigné
Passe de bien loin toutes celles
De Madame de Sévigné!

On y savoure, avant la noce
Que précéderont les cadeaux,
Un joli goût d'amour féroce
Qui vous laisse un froid dans le dos.

C'est pourquoi, fleur plus délicate
Que le blanc duvet de l'eider,
O vierge que la brise flatte,
Jeune Marguerite Schneider,

Je veux à la race future
Te montrer, fille au divin nom,
Riante sous ta chevelure
Et portant aux oreilles, non

De tremblants joyaux dont l'or bouge,
Mais cet ornement tout romain,
Deux gouttelettes de sang rouge;
Oui, deux gouttes de sang humain,

Ne tombant pas, mais toutes prêtes
A tomber sur tes blancs habits;
Et te faisant, riches fleurettes,
Des pendeloques de rubis.

Et tu seras toujours en fête
Devant l'universel public!
Ainsi, chère enfant, le poëte,
Plus heureux que Jean Diétrich,

Grâce au miracle de la lyre
T'aura pu fournir, tout entier,
Le présent que ton cœur désire,
Sans piller aucun bijoutier;

Et toujours, sous les fleurs vermeilles
De ton visage rose et blanc,
On pourra voir à tes oreilles
Pendre les deux gouttes de sang!

Janvier 1871.

# Les Larmes

DANS l'air, où son drapeau qui bouge
Flotte au-dessus des chapiteaux,
Visant d'abord à la croix rouge
Qui protège les hôpitaux,

Et jonchant les nefs des églises
De tristes cadavres meurtris
Qui tombent sur les dalles grises,
Les obus pleuvent sur Paris.

Et tout là-bas, dans les fumées,
Les Allemands à l'œil flottant
Disent : Notre Dieu des armées
Dans les cieux doit être content.

Il se réjouit, d'ordinaire,
Lorsque au lieu de balbutier,
Nous faisons sortir un tonnerre
Du flanc de nos monstres d'acier.

Parmi ces orages de fonte,
La gaieté dilate son flanc
Lorsque vers sa narine monte
Une épaisse vapeur de sang.

Son calme regard qu'il promène
Sur la campagne hier en fleur,
Aime ces tas de chair humaine
Broyés, sans forme ni couleur,

Qu'a terrassés notre bravoure
Pour le triomphe de César ;
Et ce spectacle, il le savoure
Comme un délicieux nectar.

Car il est le Vengeur sinistre,
Coupant l'univers par moitié ;
La Guerre est son fauve ministre.
Il ne connait pas la pitié.

Il ne permet qu'aux siens de vivre,
Et, sous les éclairs fulgurants,
Mieux que d'un cantique, il s'enivre
Du râle sombre des mourants.

Spectateur charmé par nos drames,
Il plait à ce maitre jaloux
De voir les enfants et les femmes
Exterminés comme des loups ;

Et dans les villes, ces auberges
Où tombent nos obus hideux,
Il aime à voir les corps des vierges
Brutalement coupés en deux.

Ainsi de vos lèvres pâmées
Louant, ô rêveurs Allemands,
Le farouche Dieu des armées
Que proclament vos hurlements,

Vous vous enorgueillissez même,
Lorsque souffle et mugit l'autan,
D'avoir mis ce cuirassier blême
Sur un vieux trône de Titan;

Et vous trouvez encor des charmes
A l'assourdir de vos hurrahs. —
Mais cependant, les yeux en larmes,
Jésus emporte dans ses bras,

Jusqu'aux cieux où montaient leurs râles
Mêlés à vos cris forcenés,
Les pauvres petits enfants pâles
Que vous avez assassinés.

    Janvier 1871.

# Un vieux Monarque

Un monarque aux favoris blancs,
Turbulent, ivrogne et féroce,
Affronte les passants tremblants
Et gonfle sa poitrine en bosse.

Il est rouge comme du vin.
— Par Bacchus! dit-il, on me brave!
Moi le héros, l'homme divin!
Moi le vainqueur! moi le burgrave!

Moi le vieux qui, depuis longtemps,
Ai conquis, montrant ma semelle,
L'Europe et tous ses habitants,
Et les enfants à la mamelle!

Moi qui puis à mon gré vêtir
Le bleu riant que chacun flatte,
Ou la vieille pourpre de Tyr,
L'azur céleste ou l'écarlate!

Voyez, j'ouvre mon calepin
Enjolivé d'or et de nacre;
Qui veut perdre le goût du pain?
Qui faudra-t-il que je massacre?

Qui donc m'a causé cet ennui?
Son destin irrémédiable
Est de périr dès aujourd'hui,
Je le tuerai, fût-ce le diable!

Or savez-vous qui parle ainsi
D'une voix rauque et solennelle
Qui monte parfois jusqu'au *si?*
C'est le Seigneur Polichinelle.

S'il a pris cet air espagnol
De fou décrochant une étoile,
C'est qu'il regrette son Guignol,
Son palais, sa maison de toile,

Dont un large obus éperdu
A massacré la vieille gloire,
L'autre jour, au beau milieu du
Carrefour de l'Observatoire.

Janvier 1871.

# Le fourrier Graf

LE fourrier Graf, ce Scipion
Semant partout sa gloire éparse,
N'était au fond qu'un espion!
C'est le triomphe de la farce.

Pourtant, quels exploits que les siens!
A la course et même à la nage,
Il décousait les Prussiens;
Il en faisait un grand carnage.

Dans le baraquement assis,
Ce brave, entre deux pirouettes,
Les enfilait, dans ses récits,
Comme un chapelet d'alouettes.

Toujours le Prussien, guéri
De la vie en une seconde,
Était mort sans pousser un cri;
C'était une mine féconde.

Graf ne voulait rien d'exigu ;
Il vengeait, pieuse démence !
Un père, comme à l'Ambigu ;
C'était un guerrier de romance.

Chaque jour, ayant dépêché
Douze Prussiens, le treizième
Était par-dessus le marché.
D'ailleurs il opérait lui-même.

Il les envoyait galamment
Au pays des apothéoses.
Pourtant un jour, Dieu sait comment !
On découvrit le pot aux roses.

S'il s'était fort évertué
A tramer des récits féeriques,
Graf, en somme, n'avait tué
Que des Prussiens chimériques.

Car son bagage tout entier
Était fait de ruse et d'astuce ;
Bref, il exerçait le métier
Que l'on trouve honorable en Prusse.

Le fait est prouvé, sans effort ;
Mais (on comprend que c'est dans l'ordre)
Le merveilleux nous plaît si fort
Que nous n'en voulons pas démordre.

Comme un conte des temps anciens,
La légende aimable et futile
De Graf tueur de Prussiens
S'étend comme une tache d'huile ;

Et revenant à ses amours
Avec des voluptés fantasques,
Monsieur Prudhomme dit toujours :
— Mais, puisqu'il rapportait les casques !

Janvier 1871.

# Celle qui reste

Allons! applaudissez leurs drames.
Ici près, comme un noir tonnerre,
Un obus a frappé deux femmes,
Une jeune fille et sa mère.

Voyez, la jeune fille est morte.
Et la foule, mal résignée,
L'admire, gracieuse et forte
Et dans son sang toute baignée.

Elle ressemble aux fleurs vermeilles.
Pour élever cette enfant blonde,
La mère avait subi les veilles
Et l'enfer glacé, dès ce monde.

Pas de bois, peu de nourriture.
Mais elle était comme en délire
Quand l'enfant gracieuse et pure
La caressait dans un sourire!

Elle se disait : Dans nos bouges
On a tout souffert : l'esclavage,
La faim, le froid ; mes yeux sont rouges ;
Mais j'ai gardé ma fille sage !

Elle est simple, docile et juste,
Elle ne sera pas légère,
Quelque bon ouvrier robuste
La prendra pour sa ménagère :

Et l'ayant nourrie et baisée
Comme une mère valeureuse,
Ce jour-là, je mourrai brisée
Et bien lasse, mais bien heureuse.

Illusions ! songe qui navre !
L'obus est tombé là : qu'importe !
La jeune fille est un cadavre :
Elle ouvre son grand œil de morte

Où nul rayon ne se reflète ;
Et la voilà bien trépassée
Avec sa lèvre violette...
Mais la mère n'est que blessée.

Janvier 1871.

# Paris

Ainsi, les nuits dans les tranchées,
L'arme au pied, le froid et la faim,
Les dures souffrances cachées
D'une attente morne et sans fin;

Les batailles, les escarmouches,
Le sang qui coule sur vos pas,
Et les fusillades farouches
D'un ennemi qu'on ne voit pas;

L'ami qui tombe, l'ombre noire
Où le hasard seul est vainqueur;
La retraite après la victoire,
Avec le désespoir au cœur;

Les Parisiens gais et pâles,
Devenus soldats en un jour,
Ont subi ces angoisses mâles
Avec une extase d'amour.

Enfants d'une mère meurtrie
Qu'ils adorent tous à genoux,
Les yeux tournés vers la Patrie,
Ils ont dit à la mort : Prends-nous!

Les blessés, fiers de leur martyre,
Sans baisser leurs regards voilés,
Ont vu même avec un sourire
Tomber leurs membres mutilés.

Dans la forteresse où nous sommes,
Nous avons, sans reprocher rien,
Rapporté morts des jeunes hommes,
Et leurs mères ont dit : C'est bien.

Paris aux mille renommées
A levé son front de géant;
Il a fait sortir des armées
De la misère et du néant.

Graveur sur l'or et l'améthyste,
Tenant son délicat burin,
Il a su, de sa main d'artiste,
Fondre les lourds canons d'airain.

Partout, du faubourg Saint-Antoine
A l'ancien boulevard de Gand,
Il a mangé son pain d'avoine
Avec un dandysme élégant;

Et lorsque l'orage des bombes
A formidablement tonné
Sur nos palais et sur nos tombes,
Ses femmes n'ont pas frissonné.

Tel fut Paris en ses désastres.
Tel ce héros, dont le front bout,
Tint son cœur plus haut que les astres,
Saignant et lassé, mais debout !

Janvier 1871.

# Le Docteur

Sous les vieilles solives noires
Où, racontant leur fabliau,
Leurs légendes et leurs histoires,
Bruissent les in-folio,

En pleine vie imaginaire,
A côté de son chat câlin,
Le docteur septuagénaire
Aglaüs Evig, à Berlin,

Parle à ses tisons de la sorte,
En tourmentant ses favoris
D'une blancheur livide et morte :
— Lorsque nous aurons pris Paris,

Dit-il, c'est nous, dont l'esprit veille
En dépit des pharisiens,
Nous, les Prussiens, ô merveille !
Qui serons les Parisiens.

Nous pourrons dans nos coupes vertes
Boire sentimentalement
Le vin de Champagne, qui, certes,
Sera du Champagne allemand.

Nous écrirons pour les théâtres
Des pamphlets gais et querelleurs ;
Nous serons légers et folâtres
Comme l'abeille sur les fleurs.

A tout propos, nous saurons dire,
D'un ton malicieux et fin,
Des contes à mourir de rire ;
Nous aurons le mot de la fin.

Nous fumerons des cigarettes
Et, mettant le beau monde à sac,
Nous aurons tous des amourettes
A la manière de Fronsac !

Ainsi fleurira le poëme
Depuis longtemps par nous rêvé ;
Et moi-même, Aglaüs, moi-même
J'aurai l'air d'un petit crevé !

A ces mots, s'étirant pour cause,
Et d'un air de puissant mépris
Bâillant, tirant sa langue rose,
Le chat dit : — Paris n'est pas pris,

Docteur, je ne sais s'il doit l'être :
Mais à jamais, fatalement,
C'est notre destin, mon cher maitre,
De ne miauler qu'en allemand.

Janvier 1871.

# La Fillette

Dimanche dernier, presque à l'heure
Où déjà va tomber le soir
Sur le grand Paris qu'il effleure, —
Bruyant, et sur le pavé noir

Faisant une joyeuse tache
Avec son cortège ambulant,
Devant la pointe Saint-Eustache
Se tenait un marché volant.

Une laitue, aujourd'hui chose
Fort rare et bonne pour les fous,
Grosse comme un bouton de rose,
Se vendait de six à huit sous.

Bref, comme partout, les légumes
Étaient hors de prix. — Mais la chair,
Quand on la revoit dans ces brumes! —
Le lapin était cher, fort cher.

Avec des fiertés non pareilles,
Victime que la gloire émeut,
Il semblait dire à ses oreilles :
Rothschild peut me manger, s'il veut.

Puis, comme au pays de Silvandre,
Une Églé dans ces lieux forains
Avait apporté, pour la vendre,
Une cage avec des serins.

Car, dans ce Paris qui se montre
Héroïquement endurci,
Comme alouettes de rencontre
On mange les serins aussi.

Plus loin, d'une voix monotone,
Une vieille, aux regards peu francs,
Chantonnait : C'est pour rien ; je donne
Ma poule pour trente-six francs !

Et la fuyant d'un air morose
Pour jusqu'au jugement dernier,
Je vis une fillette rose
Debout auprès d'un grand panier.

Belle comme un ange en visite,
Avec de grands yeux résolus,
Elle était petite, petite ;
Elle avait six ans tout au plus.

Je regardais, comme une étoile,
Ce pauvre être charmant, vêtu
D'une affreuse loque de toile.
— Et toi, lui dis-je, que vends-tu ?

Et l'enfant, les pieds dans la boue
Près du bureau des omnibus,
Me dit vite, en enflant sa joue :
— Moi, je vends des éclats d'obus !

Janvier 1871.

# Henri Regnault

HENRI REGNAULT ! La Muse pleure
Avec un long regard ami
Ce jeune homme illustre, avant l'heure
Dans la sombre gloire endormi.

O Mort, de forfaits coutumière !
Charmant de sa jeunesse en fleur,
Il se jouait dans la lumière,
Créant la vie et la couleur.

Prenant à l'art ses énergies,
Ses voluptés et ses tourments,
Il s'enivrait de ses magies
Et de ses éblouissements.

A travers les étoffes rares,
Il voyait, d'un œil enchanté,
Sous l'or et les joyaux barbares
Vivre l'immortelle Beauté.

Déjà même, ivresse infinie !
Il sentait, rêveur ébloui,
L'aile de son naissant génie
Palpiter au dedans de lui.

Oh! qui consolera le père,
En son tourment sinistre et noir
Tombé du faîte où l'on espère
Dans le gouffre du désespoir?

Qui? le sacrifice lui-même
De cet enfant insoucieux,
Qui pour notre rachat suprême
A donné son sang précieux.

Sa mémoire vaillante et pure
A vaincu l'oubli meurtrier ;
A jamais dans sa chevelure
Verdira le divin laurier,

Et l'Envie aux dents de couleuvre,
Qui respecte notre sommeil,
Ne mutilera pas son œuvre
Où se joue un rayon vermeil.

Hélas! la danseuse lassée
Qu'il peignit folle et sans remords,
C'est la Destinée insensée,
Assise parmi des trésors,

Qui, paresseuse et l'œil candide,
Sans rien vouloir ni rien sentir,
Joue avec le couteau splendide
Qui doit immoler un martyr !

Janvier 1871.

# Vingt-neuf Janvier

Tristes d'une douleur austère,
Nos combattants, mornes, surpris
Et leurs fronts baissés vers la terre,
Viennent de rentrer dans Paris.

Plus de bataille ! Plus de fête !
C'en est fini pour de longs jours,
Et l'on n'entend plus à leur tête
Ni les clairons ni les tambours !

Voici les hommes intrépides
Des bataillons mobilisés,
Ces braves, du péril avides,
Par le hâle déjà bronzés.

Leurs fusils qui déchiraient l'ombre
Avec un flamboyant éclair,
Sont entourés d'un crèpe sombre.
Ils les portent, la crosse en l'air.

Sans que rien désormais les touche,
Ils s'en vont comme des troupeaux;
Un crêpe aussi, noir et farouche,
Entoure les plis des drapeaux.

Puis, ce sont des soldats sans armes,
Spectacle amer et douloureux
Fait pour nous arracher des larmes!
Qui parlent à voix basse entre eux.

Leurs officiers, comme aux parades
Impassibles, marchent au pas;
Et, pensant à leurs camarades
Qui trouvèrent de beaux trépas,

Songent que la part la meilleure
Fut celle de ces combattants.
J'en vois un, déjà vieux, qui pleure,
C'est un Africain du bon temps,

Athlétique et de haute taille,
L'homme de bronze du devoir.
Une large balafre entaille
Son dur visage, presque noir.

Officiers ou soldats, qu'importe!
En leur cœur dédaigneux et fier,
Tous ont une espérance morte
Dont ils portent le deuil amer.

Nos marins surtout, dont l'orage
Connait si bien les fronts hâlés,
Pâles d'une muette rage,
Sont frémissants et désolés.

Ils promènent leurs regards vagues
Au loin, mornes, presque honteux,
Comme si le gouffre et ses vagues
Venaient de surgir devant eux.

A leur aspect, le cœur se brise.
Car il semble, à les voir ainsi,
Que de loin l'Océan leur dise :
— Eh! quoi, matelots, vous aussi!

Et qu'en leur foule résignée,
Où s'amasse un âpre tourment,
La voix de la mer indignée
Se plaigne douloureusement!

        Février 1871.

# L'Épée

Épée aux éclairs furieux,
Qui, vaillante et de sang trempée,
Dans la main des victorieux
Semblais vivre et combattre; Épée

Qui brillais aux mains de Roland,
Toi dont toute chair lâche et vile
Craignait le choc étincelant,
Arme de Kléber et d'Achille!

Ton rôle est désormais fini.
Ton noble fer, que rien n'imite,
N'est plus, en ce brouillamini,
Qu'un objet symbolique, un mythe.

Il dut, ainsi que tu le vois,
Céder à l'obus en délire,
Comme le piano de bois
A remplacé l'antique lyre.

Jadis, mieux valait, dans le choc
Des batailles âpres et dures,
Asséner de bons coups d'estoc
Que de dessiner des épures ;

Nous avons changé tout cela.
Désormais la sûre victoire
Est à celui qui se cèla
Dans un trou, sous la terre noire.

Arès, ménager de ses pas,
(Certes, bien fol est qui s'y fie,)
Tourmente avec un grand compas
Des cartes de géographie ;

Et ce qui vous brise les dents,
C'est un large pavé de fonte
Avec du pétrole dedans :
La méthode est facile et prompte.

Épée à qui, si grands jadis,
Nous dûmes tout ce que nous sommes,
Guerrière plus pure qu'un lys,
O mâle compagne des hommes !

Un bon arithméticien,
Dédaigneux des récits épiques,
A vaincu ton orgueil ancien
Par des calculs mathématiques.

Et cependant, sous les cieux clairs
Où tu promenais l'épouvante,
Épée aux furieux éclairs,
Oh ! que tu fus belle et vivante,

Avant qu'en un pays dompté
Par sa patiente industrie,
Ce voyageur n'eût apporté
Sa boîte de géométrie !

Février 1871.

# Le Lion

Il fait nuit noire au fond de l'antre,
Où nul rayon ne vient fleurir,
Et c'est là, couché sur son ventre,
Que le grand Lion va mourir.

Sa longue chevelure pâle
S'affaisse sur son corps tremblant,
Et voici déjà que le râle
Sort de sa poitrine, en sifflant.

Or le Renard, plein de génie,
Vient, ainsi qu'un lâche irrité,
Insulter à cette agonie
Avec un cynisme effronté.

Il dit au Lion : — Pauvre Sire !
La vie heureuse et libre fuit
Ton front plus blême que la cire,
Et tu vas rouler dans la nuit !

Dans ta prunelle douloureuse
Que jadis caressait l'air pur,
Tu n'auras plus que l'ombre affreuse,
Sans astre, ni plafond d'azur.

Tu subiras l'éternel jeûne
Et les noirs épouvantements;
Et moi je vivrai, je suis jeune!
Je courrai dans les bois charmants,

Rapide, en mon ardeur furtive
Plongeant mes yeux dans l'horizon,
Et buvant aux ruisseaux d'eau vive
Qui murmurent dans le gazon!

A moi l'inexprimable joie,
Quand j'aurai, grâce à mes talents,
Guetté, surpris ma faible proie,
D'en faire des lambeaux sanglants!

Tel, en ce discours plein de haine,
Le Renard, épiant ses traits
Affaiblis dans l'ombre incertaine,
Triomphe du roi des forêts.

Mais lui, levant son œil où brille
Un rayon presque évanoui,
En écoutant ce Mascarille,
Il bâille avec un sombre ennui,

Et fier à son heure dernière
Comme un prince dans Ilion,
Il dit, secouant sa crinière :
— Je meurs, mais je suis le Lion !

Février 1871.

# Épilogue

Rime, avant cet âge fatal,
Voilà bien longtemps, quand la France
Dans une coupe de cristal
Buvait le vin de l'espérance,

Sous mon front venant te poser,
Lors de ces époques heureuses
Tu chantais comme le baiser
Qui joint deux bouches amoureuses.

Quand la Patrie eut à son flanc
Reçu la blessure exécrable,
Lorsqu'il fallut donner son sang
Pour cette martyre adorable,

Tu résonnas comme un clairon
Qui raille le danger vulgaire,
Et ta voix, mieux que l'éperon,
Fit bondir les coursiers de guerre!

Pleine de confiance encor,
Tu te jetais dans la mêlée,
Fière, sous ta cuirasse d'or,
Ainsi qu'une Penthésilée;

Et plus d'une fois le Vainqueur,
Atteint jusque dans son génie,
Tressaillait sous l'accent moqueur
De ton implacable ironie!

Maintenant, tout à mon souci,
Je t'entends, parmi les ténèbres,
Sonner sans trève et sans merci,
Comme un glas aux notes funèbres,

Ou tu gémis, comme les flots
De la mer qui songe et qui veille.
O Rime, exhale tes sanglots
Tout bas, tout bas, à mon oreille.

Et moi, j'étoufferai sans bruit
Le cri qui de mon cœur s'élance,
Car étant plongés dans la nuit,
Il nous faut garder le silence.

Mais que, rendue à notre amour,
La divine, la bien-aimée
Sourie à la clarté du jour,
Sa plaie horrible étant fermée;

Elle entendra ton chant joyeux,
Qui la caresse et qui la venge,
Monter éclatant dans les cieux
Et pareil à la voix d'un Ange!

Février 1871.

# RIQUET A LA HOUPPE

COMÉDIE FÉERIQUE

1884

# AU LECTEUR

ANS *tous les poëmes, trop nombreux,
hélas! que j'ai donnés au public, je n'ai
pas cessé de poursuivre un double but.
D'abord être autant que possible vivant,
sincère et moderne; puis restituer et renouveler les formes
anciennes laissées injustement dans l'oubli. C'est ainsi
que j'ai été assez heureux pour remettre en honneur le
Triolet, la Ballade, le Rondel de Charles d'Orléans, le*

*Dizain de Marot. Aujourd'hui, dans ce* Riquet à la Houppe, *j'essaie de rendre à la Comédie les monologues en strophes lyriques et les scènes dialoguées symétriquement, dont Corneille nous a laissé de si admirables exemples.*

## LES ACTEURS

RIQUET A LA HOUPPE.
LA PRINCESSE ROSE.
LE ROI MYRTIL.
CLAIR DE LUNE.
LUCIOLE.
LA FÉE DIAMANT.
LA FÉE CYPRINE.
ZINZOLIN.
LE PRINCE D'ARAGON
LE ROI D'ILLYRIE.
LE PRINCE DE MAROC.

———————

Il y a grande apparence que quelques-uns d'eux l'y accom-
pagnoient, et même que quelques autres le cherchoient pour
lui d'un autre côté ; mais ces accompagnements inutiles de
personnes qui n'ont rien à dire, puisque celui qu'ils accom-
pagnent a seul tout l'intérêt à l'action, ces sortes d'accompagnements, dis-je, ont toujours mauvaise grâce au théâtre,
et d'autant plus que les comédiens n'emploient à ces personnages muets que leurs moucheurs de chandelles et leurs
valets, qui ne savent quelle posture tenir.

PIERRE CORNEILLE. Examen du *Cid*.

# RIQUET A LA HOUPPE

## ACTE PREMIER

### SCÈNE PREMIÈRE

Dans la forêt. Un paysage de sources, de roches moussues, d'arbres tordus par l'âge. L'aurore empourpre le ciel. La fée Diamant, qui dormait sur un lit de mousse, vient de s'éveiller. La fée Cyprine l'aperçoit et vient à elle.

DIAMANT, CYPRINE.

*Cyprine.*

Salut, riante fée, heureuse Diamant.

*Diamant.*

Bonjour, adorable Cyprine.

*Cyprine.*

L'esprit est votre lot charmant.

*Diamant.*

Comme la rose purpurine,
Vous régnez, et c'est vous qui donnez la beauté,
Dont s'enivre à plaisir le regard enchanté.
On vous adore aussi dans les deux hémisphères ;
Car, enchaînant partout les hommes sous vos lois,
Vous fûtes déesse autrefois.

*Cyprine.*

Parlons un peu de nos affaires.

*Diamant.*

Volontiers, si cela vous plait.
Mon filleul, Riquet à la Houppe,
Est spirituel, mais si laid
Qu'il fait peur aux Amours dont vous guidez la troupe.

*Cyprine.*

La fille du roi Myrtil,
La belle princesse Rose,
Victime d'un sort morose,

Plait aux yeux, mais l'esprit chez elle est peu subtil.
  Si bien, hélas! que ma chère filleule
Pour unique ornement n'a que sa beauté seule.

### Diamant.

Mais, s'il vous en souvient, par toute notre cour
Cela fut décrété naguère à son baptème,
Pour rendre quelque prince aussi beau que le jour,
  Elle n'aura qu'à lui dire : Je t'aime!

### Cyprine.

  De même, le prince Riquet
  Peut à la plus sotte princesse
  Faire avoir ce qui lui manquait.
  S'il l'aime, aussitôt elle cesse
D'être sotte; bien vite, elle aura de l'esprit;
Et, comme en un vallon désert le lys fleurit,
  On verra sa pensée éclore
Sous les feux rougissants de la naissante aurore.

### Diamant.

  Le moyen, fait comme il est,
  Que votre filleule Rose
  Aime mon filleul si laid?
  Elle sur qui se repose
  L'abeille! Elle que son nom
  Peint au vif!

*Cyprine.*

Et pourquoi non ?
Tel dont la pauvre figure
Était d'un fâcheux augure,
Sait jouer parfaitement
Son personnage d'amant.
Pour plaire, il faut brûler d'une vivante flamme
Et trouver de ces mots qui coulent jusqu'à l'âme.
Or tel qui n'est pas beau s'en acquitte fort bien
Et l'Amour n'en fait qu'à sa tête.
Je me dis plutôt : le moyen
Que votre prince aime une bête ?
Peut-il donc chérir des appas
Qui s'ignorent ?

*Diamant.*

Et pourquoi pas ?
Rose est comme un portrait des merveilles des cieux.
Ce sont des joyaux précieux
Que ses prunelles d'améthyste,
Et son profond regard d'enfant n'est jamais triste.
Ses cheveux sont si doux aux caresses du vent
Qu'il les éparpille en rêvant ;
Sa bouche gracieuse est une fleur vermeille,
Et si tout ce trésor sommeille,
C'est à Riquet de l'éveiller.

*Cyprine.*

Eh bien! nous saurons travailler
A créer l'amour mutuelle
Qui doit rendre l'un beau, l'autre spirituelle.

*Diamant.*

Mais, pour l'instant, le gai matin
Autour de nous répand des haleines de thym.

*Cyprine.*

En s'éveillant, la fraise mûre
Rougit dans l'herbe verte et le ruisseau murmure.

*Diamant.*

Les oiseaux dans le buisson
Vocalisent leur chanson.

*Cyprine.*

Allons-nous-en, avec nos pensives compagnes,
Cependant que le ciel aux riantes couleurs
Borde la frange des campagnes, —

*Diamant.*

Allons, tressant nos chants heureux avec les leurs,
Bondir légèrement sur la terre apaisée, —

*Cyprine.*

Et pour nous griser de rosée,
Boire dans la coupe des fleurs.

Les deux fées se retirent d'un pas léger et disparaissent
derrière les roches.

## SCÈNE II

Devant le palais du roi Myrtil. Un parc, jadis orné dans le
goût de Le Nôtre, mais devenu sauvage. Les fleurs l'ont
pris d'assaut; c'est une orgie de floraison et de verdure.
Le palais tombe en ruine et ne tiendrait plus debout, s'il
n'avait été raccommodé par les reprises qu'y ont faites les
jasmins et les roses. A droite, sur le devant de la scène,
une grotte de rocaille envahie et à demi cachée par les
plantes grimpantes. Le roi Myrtil et Clair de Lune entrent
ensemble.

## MYRTIL, CLAIR DE LUNE.

*Myrtil.*

Clair de Lune, je suis un prince déplorable.
Mon sceptre, d'or jadis, est un bâton d'érable.

*Clair de Lune.*

Vos sujets, dans les bois jouant de leurs pipeaux,
Se refusent, en masse, à payer des impôts.

*Myrtil.*

Si je jette les yeux sur mes finances, qu'est-ce
Que j'y vois, ami?

*Clair de Lune.*

Pas un sou dans votre caisse.

*Myrtil.*

Le néant s'y blottit, dans une ombre noyé.

*Clair de Lune.*

Oui, nous manquons d'or vierge et d'argent monnoyé.

*Myrtil.*

En cette cour muette, où la Pauvreté loge,
Pour mesurer le temps, je n'ai pas une horloge.
L'instant fuit en silence, et moi, le roi Myrtil,
Je demande au soleil troublé : Quelle heure est-il?
Ma pourpre, glorieux lambeau, montre la corde
Et s'effile. Est-ce vrai?

*Clair de Lune.*

> Sire, je vous l'accorde.

*Myrtil.*

Autour de moi, vois-tu des courtisans?

*Clair de Lune.*

> Pas un.

*Myrtil.*

Tous ont fui, délaissant le malheur importun,
Hormis toi, mon fou. Seul, avec un petit page,
Tu composes ma cour et tout mon équipage.

*Clair de Lune.*

Nous sommes de la sorte au-dessus des partis
Et des brigues.

*Myrtil.*

> Les chiens eux-mêmes sont partis.

*Clair de Lune.*

Nous ne serons donc pas mordus.

*Myrtil.*

> Mon donjon croule

Et ses mâchicoulis disparaissent en foule.
Vois cette grotte, dont les turbulents jasmins
Accrochent la rocaille avec leurs blanches mains ;
Bien souvent il en sort des chansons étouffées.

### Clair de Lune.

Oui, ce parc est si vieux qu'il y revient des fées.

### Myrtil.

Comment les hautes tours avec les ponts-levis
S'émiettèrent au sein des fossés, tu le vis !

### Clair de Lune.

Par bonheur, Mai, prodigue en ses métamorphoses,
Répare le donjon malade avec des roses ;
Et les rosiers grimpants, enflammés de courroux
Contre vos murs disjoints, en ont bouché les trous.
Sur la fenêtre absente ils tressent une claie.

### Myrtil.

Ami, tu mets encor le doigt sur une plaie.
Oui, l'un de mes fléaux, de mes pires malheurs,
C'est l'insurrection formidable des fleurs.
Ce jardin eut jadis des allures exactes
Comme une tragédie.

*Clair de Lune.*

>    Il semblait en cinq actes
Et l'on y voyait tout réglé par le ciseau.

*Myrtil.*

O deuil! le papillon, l'arbre, la fleur, l'oiseau
Jettent sur ses dessins leurs parures futiles,
Et l'on y voit un tas de choses inutiles.

*Clair de Lune.*

Les plus coupables sont ces farouches rosiers
Qui, fous, extravagants, flambants, extasiés,
Entrent dans le palais du roi comme en des bouges,
Traînant partout leurs fleurs jaunes, roses et rouges.

*Myrtil.*

Mon parc est infesté par les volubilis.

*Clair de Lune.*

On y marche au hasard sous des forêts de lys.

*Myrtil.*

Et mes gazons, jadis corrects, ont l'air d'être aises
Quand cet affreux désordre y fait pousser des fraises.

*Clair de Lune.*

La violette y fait ses fredaines aussi.

#### Myrtil.

Eh bien! ce n'est pas là mon plus cruel souci.
Que l'acanthe et l'œillet poussent à l'aventure,
Je m'en ris. Connais mieux le mal qui me torture.
Ma fille...

#### Clair de Lune.

     Sire, elle est belle comme le jour.
Joie et ravissement des yeux mortels, amour
De la lumière, dont le baiser la caresse,
Son visage et son air sont d'une enchanteresse.
L'abeille sur sa lèvre irait prendre le miel.
Ses yeux mystérieux sont comme un profond ciel;
Et le tragique hiver cesse d'être morose,
En voyant les regards de la princesse Rose,
Que la pervenche trouve aussi doux que les siens.

#### Myrtil.

Elle est superbe. Mais son esprit!

#### Clair de Lune.

          Je conviens
Que parfois les pensers où son âme se noie
Sont bizarres.

*Myrtil.*

Ma fille est bête comme une oie.
Oui, ma Rose, merveille et joyau de ce temps,
Parle comme peut faire un enfant de sept ans.
Comment la marier, ma pauvre fille Rose?
Pour dot, elle n'a rien du tout!

*Clair de Lune.*

C'est peu de chose.
Mais j'ai, me confiant à ses divins attraits,
Chez tous les rois voisins envoyé ses portraits,
Et tous viendront, épris d'une beauté si rare.

*Myrtil.*

Ah! cela manque ici de marbre de Carrare!
Et quand les rois verront ce palais abaissé
Et ma chère princesse ignorant l'A, B, C,
Ils s'enfuiront. Je sens une frayeur mortelle.

*Clair de Lune.*

La princesse! Elle vient, taisons-nous.

*Myrtil.*

Oui, c'est elle.

Rose entre, distraite, sans voir le roi Myrtil et Clair de
Lune, et tout occupée de la poupée qu'elle tient dans ses
bras.

## SCÈNE III

MYRTIL, CLAIR DE LUNE, ROSE.

*Clair de Lune.*

On dirait, à la voir, un sylphe aérien.

*Myrtil.*

Il est trop évident qu'elle ne pense à rien !
Clair de Lune, voilà ce qui me désespère.

*Il va vers Rose et la baise au front. La princesse semble
s'éveiller comme d'un rêve.*

Ma chère enfant, comment te portes-tu ?

*Rose.*

Mon père,

Je ne sais pas.

*Myrtil.*

As-tu quelque chagrin secret ?

Parle sincèrement. Clair de Lune est discret.
Veux-tu que ce bon fou te chante une ballade?

*Rose.*

Non.

*Myrlil.*

D'où vient ton ennui?

*Rose.*

Ma poupée est malade.

*Myrlil.*

Malade! une poupée!

*Rose.*

Oui.

*Myrlil,* bas, à Clair de Lune.

Dis, la comprend-on?

Haut, à Rose.

Mais c'est un joujou fait de bois et de carton,
Dont la bouche muette a l'air d'une accolade,
Et qui, par conséquent, ne peut être malade.

Montrant dédaigneusement la poupée.

Souffrir, elle! ceci!

*Rose.*

Voyez, Sire, sa main
Est brûlante.

*Myrtil.*

Allons donc! elle n'a rien d'humain.

*Rose.*

Si fait.

*Myrtil.*

Elle est en bois, comme tu le soupçonnes.

*Rose.*

Mais, mon père, en quoi donc sont les autres personnes?

*Myrtil,* découragé.

Hélas !

*Clair de Lune,* à Rose.

Votre poupée a l'air fort aguerri.
N'en doutez pas, son mal sera bientôt guéri.

*Myrtil,* à Rose.

Veux-tu, pour oublier cette crainte importune,
Quelque robe, couleur de soleil ou de lune?

*Bas, à Clair de Lune.*

Par bonheur, rien ne reste en son esprit changeant,
Car j'offre des trésors, mais je n'ai pas d'argent.

*Clair de Lune,* bas, à Myrtil, avec conviction.

Non. Pas du tout.

*Myrtil,* haut, à Rose.

Veux-tu des plumages de merles
Blancs ? Veux-tu des saphirs avec des rangs de perles ?
Ou bien quelque dentelle avec son fin réseau ?

La princesse pose sa poupée sur un banc de marbre, où elle
l'oubliera complètement et ne la reprendra plus.

Parle. Que te faut-il ?

*Rose.*

Je voudrais être oiseau.

*Clair de Lune.*

Pour vous perdre dans l'air, plein de ténébreux voiles !

*Rose.*

Non. Je demanderais mon chemin aux étoiles.
J'irais dans la nuit bleue, — et ce serait si doux ! —
Ou bien je reviendrais, le soir, dormir chez nous.

### Myrtil.

Oiseau! mon sang! Voilà, certes, une autre paire
De manches! Mais alors que deviendrait ton père?
Car comment un oiseau quelconque pourrait-il
Être princesse, et fille aussi du roi Myrtil?

> Avec câlinerie.

Certains oiseaux sont bleus ou couverts d'écarlate;
Mais, bien qu'un riche azur sur leurs manteaux éclate,
On en fait de plus beaux pour les filles des rois.

> Rose, qui n'a pas écouté.

Je sais un très beau conte. Il était une fois
Un prince tout petit, revêtu d'une armure
D'or vermeil, qui brillait comme une orange mûre.

> A Myrtil.

Il n'était pas plus grand que votre petit doigt.

### Myrtil.

Vraiment?

> Bas, à Clair de Lune.

Je veux flatter sa manie.

### Clair de Lune, bas, à Myrtil.

On le doit.

*Rose.*

Il vit une princesse au vêtement de cygne
Qui voguait sur le fleuve et qui lui faisait signe.

*Myrtil.*

Elle était grande?

*Rose.*

      Non. Plus petite que lui.
Or, comme elle semblait implorer son appui,
Il s'élançait vers elle, —

*Myrtil,* bas, à Clair de Lune.

      Étrange baliverne!

*Rose.*

Lorsqu'un géant affreux sortit d'une caverne.
Alors, le prince...

S'interrompant. A Clair de Lune.

      Mais, qu'as-tu donc? Tu souris?

*Clair de Lune,* à Rose.

Le géant était grand, lui?

*Rose.*

      Comme une souris.

Le beau prince criait : Me voici, ma chère âme !
Quand le géant se mit à vomir une flamme,
Et les daims s'enfuyaient sur les monts chevelus.

Myrtil.

Alors, qu'arriva-t-il ?

Rose.

Alors...

Perdant tout à coup le fil de ses idées.

Je ne sais plus.
Car la brise qui passe et le vent si rapide
Ont emporté la fin du conte.

La princesse sort, toujours absorbée et comme suivant
quelque nouvelle rêverie.

SCÈNE IV

MYRTIL, CLAIR DE LUNE,
puis ZINZOLIN.

Myrtil.

Elle est stupide.

*Clair de Lune.*

Ah! Sire!

Entre le page Zinzolin, sans manteau.

### Myrtil.

Mais voici mon page. Que veut-il?
Parle, Zinzolin.

### Zinzolin.

Sire! Auguste roi Myrtil!
Un prince, qui déjà près de nous se repose,
Vient demander la main de la princesse Rose.

### Myrtil, à Clair de Lune.

Bon! Voilà du nouveau pour nous désennuyer.

A Zinzolin.

Donc, un prince!

### Zinzolin.

Oui, Seigneur, avec son écuyer.
Ils viennent d'une riche et lointaine province;
Mais, entre eux deux, quel est l'écuyer et le prince,
Je l'ignore. L'un est charmant, vêtu d'habits
Magnifiques. Il a sur sa toque un rubis.
Son mérite, à le voir, ne doit pas être mince,
Car il est en effet cousu d'or.

*Myrtil.*

C'est le prince.
Allez-vous-en, fuyez, tous mes chagrins d'hier!

A Zinzolin.

Beau, disais-tu?

*Zinzolin.*

Très beau.

*Myrtil.*

C'est donc le prince. Et fier?

*Zinzolin.*

Son beau lévrier blanc sur mon manteau se vautre.

*Myrtil,* charmé.

Bien. A merveille!

*Zinzolin.*

L'autre...

*Myrtil.*

Eh! que m'importe l'autre!
N'en parlons pas.

*Zinzolin.*

C'est qu'il est bizarre...

*Myrtil,* sévèrement.

Tais-toi.

A Clair de Lune.

Mais comment ferons-nous dîner ce fils de roi ?
Avons-nous quelque mets ? Des confitures sèches ?

*Clair de Lune.*

Non. Mais je saisirai mon bon arc et mes flèches,
Et pour peu qu'un hasard me serve, il se pourrait
Qu'on trouvât des gibiers errant dans la forêt !

*Myrtil.*

Bon. Mais songeons au reste. Il faut, pour qu'on s'assoie,
Des sièges recouverts de velours ou de soie.
Avons-nous des fauteuils ? Les damas sont passés,
Peut-être bien ?

*Clair de Lune.*

Oui, Sire, et tous les bois cassés.

*Myrtil.*

Recevons donc ces fleurs de la chevalerie
Dans quelque astucieuse et vague galerie.

*Zinzolin.*

Mais dois-je faire entrer leur suite?

*Myrtil.*

Pas du tout.
Des suites! à ce mot absurde, mon sang bout.
Quoi! faut-il donc qu'un prince honoré se commette
A traîner ce que traîne au ciel une comète?
Ceux qui suivent les rois, derrière eux prosternés,
Ce sont des figurants distraits ou consternés,
Qui lèchent les talons de l'aveugle Fortune.
Le prince et l'écuyer, tout seuls!

Zinzolin sort.

Viens, Clair de Lune.

Ils sortent.

# ACTE DEUXIÈME

## SCÈNE PREMIÈRE

Dans le palais. Une galerie tendue de superbes tapisseries,
représentant des sujets héroïques, mais fanées, arrachées
et déchirées ; d'ailleurs entièrement vide de meubles.

MYRTIL, CLAIR DE LUNE.

### Myrtil.

Cette tapisserie était belle, jadis.
Elle représentait l'histoire d'Amadis ;
Mais les soleils d'été, les rats et la poussière
L'ont rongée à l'envi de leur dent carnassière,
Jusque dans son palais bravant le roi Myrtil.

*Clair de Lune.*

En effet, je la vois s'en aller fil à fil.

*Myrtil.*

Clair de Lune, voyons, penses-tu qu'elle fasse
Encore illusion?

*Clair de Lune.*

Non. Sa trame s'efface.
Elle s'envolera, s'il vient un coup de vent.

*Myrtil.*

Eh bien! pour la cacher, nous nous mettrons devant,
Et nous fredonnerons si la tempête grince.

*Clair de Lune.*

Mais quelqu'un vient.

*Myrtil.*

C'est lui, sans doute, c'est le prince!

*Clair de Lune.*

Tant pis, faute de siège, il restera debout.

*Myrtil.*

Bon accueil, soit, mais pas de fauteuils! Voilà tout.

## SCÈNE II

### MYRTIL, CLAIR DE LUNE, ZINZOLIN, LUCIOLE.

*Zinzolin*, annonçant.

Monseigneur le...

*Luciole,* écartant Zinzolin et l'empêchant d'achever.

Géant, qui pèses moins d'une once,
Tais-toi ! Je ne veux pas, te dis-je, qu'on m'annonce.

*Myrtil,* bas, à Clair de Lune.

Bizarre. Que dis-tu de ce prince, mon fou ?

Zinzolin sort. Luciole s'avance et plie le genou devant le roi Myrtil.

## SCÈNE III

MYRTIL, CLAIR DE LUNE, LUCIOLE.

*Luciole.*

O roi Myrtil! je plie humblement le genou
Devant votre front pur, que sa blancheur décore.

*Myrtil,* relevant Luciole.

Oui, je suis l'âpre hiver et vous êtes l'aurore.

*Luciole.*

Sire, en sa splendeur d'astre au monde essentiel,
Une étoile flamboie et brille au fond du ciel,
Et les pâtres, cherchant sa trace coutumière,
La suivent, ayant pris pour guide sa lumière.
Tels, d'un pays lointain, Sire, deux compagnons
Sont venus, — vous saurez dans un instant leurs noms, —
Attirés par l'éclat de la princesse Rose.

*Myrtil.*

Elle est mon seul bonheur, en cet âge morose
Où chaque instant s'enfuit de nous avec effroi.

*Luciole.*

Celui qui l'ose aimer, Sire, est un fils de roi
Connu dans l'univers par d'illustres conquêtes.

*Myrtil.*

Il suffit de vous voir pour savoir qui vous êtes.

*Luciole,* modeste.

Oh! Sire!

Se panadant et faisant la roue.

N'est-ce pas que mon habit est bien?

Le roi, stupéfait d'une telle frivolité, garde le silence. Clair
de Lune comprend qu'il doit répondre à sa place.

Que pensez-vous du col?

*Clair de Lune.*

Un souffle aérien.

*Luciole.*

Ce taffetas changeant vaut-il pas qu'on l'admire?

*Clair de Lune.*

On dirait l'eau d'un lac où le soleil se mire.

*Luciole,* montrant complaisamment son épée.

Et ceci ? La poignée est en acier poli.
N'a-t-elle pas bon air ?

*Clair de Lune.*

Très bon.

Entre la princesse. Elle s'approche de Luciole, touche ses
vêtements, et le considère avec une extase naïve, le prenant pour un pantin.

## SCÈNE IV

## MYRTIL, CLAIR DE LUNE, LUCIOLE, ROSE.

*Rose,* admirant Luciole.

Qu'il est joli !

*Luciole,* flatté.

Madame...

*Rose.*

Il parle donc? Oh! la belle parure!
Il a dû coûter cher, avec cette dorure.

*Myrtil,* à Luciole.

Seigneur, ma fille est gaie et plaisante souvent.

*Luciole.*

Fort bien.

*Myrtil.*

Excusez-la.

*Luciole,* s'inclinant.

Sire!...

*Rose.*

Est-ce qu'on le vend
Avec le beau rubis et la petite épée?

*Myrtil,* sévèrement.

Rose!

*Rose,* câline.

Donnez-le-moi, Sire. Pour ma poupée !

#### Myrtil.

Taisez-vous ! Oh ! ceci mérite une leçon.
Traiter un fils de roi d'une telle façon !
On dirait qu'elle vient du fond d'une province.

#### Luciole.

Mais, Sire, excusez-moi, je ne suis pas le prince.

#### Myrtil.

Alors, qu'êtes-vous donc ? Répondez.

#### Luciole.

       Je le puis.

#### Myrtil.

Le prince, quel est-il ?

#### Luciole.

     Auprès de lui je suis
Ce que près du lion est une bestiole.
Je suis son écuyer, le comte Luciole.

*Myrtil.*

Un écuyer! Maraud, que ne le disais-tu?

*Luciole.*

Mon maître, de splendeur et de pompe vêtu,
Que suit le vol fameux des Victoires en troupe,
Est le prince Riquet à la Houppe.

*Myrtil,* étonné.

A la Houppe!

Revenant à son idée.

Que ne s'est-il montré?

*Luciole.*

Ce héros, mon appui,
A voulu que d'abord je vous parle de lui.

*Myrtil.*

En de tels embarras que voulez-vous qu'on fasse?
Pourquoi ce prince a-t-il besoin d'une préface?
Parle. N'est-il pas brave?

*Luciole.*

A la gloire soumis,
Il a partout vaincu des milliers d'ennemis.

*Myrtil.*

Est-il pauvre ?

*Luciole.*

Entassés au fond de ses cavernes,
Des trésors, près de qui les astres semblent ternes,
Sont gardés, tout le long d'un vaste corridor,
Par des chiens de saphir et des guerrières d'or.

*Myrtil.*

N'est-il pas beau ?

*Luciole.*

Si fait. L'une de ses prunelles
Y voit bien.

*Clair de Lune.*

L'autre ?

*Luciole.*

Habite en des nuits éternelles.

*Myrtil.*

Eh ! qu'importe !

*Clair de Lune.*

Un seul œil, qu'emplit le ciel profond,
C'est bien assez pour voir ce que les hommes font.

*Luciole.*

Son dos n'est pas bossu, mais il ne s'en faut guère.

*Myrtil.*

Tant mieux.

*Clair de Lune.*

La ligne droite est banale et vulgaire.

*Luciole.*

Sa jambe...

*Myrtil,* d'un ton irrité et impérieux.

Va chercher ton maitre.

Luciole, intimidé par la colère du roi Myrtil, n'ose répliquer
et sort.

## SCÈNE V

MYRTIL, CLAIR DE LUNE, ROSE, puis
LUCIOLE et RIQUET A LA HOUPPE.


*Myrtil,* indigné.

Il lui manquait

De respect !


*Clair de Lune.*

Tout à fait. Mais...


*Luciole,* annonçant.

Le prince Riquet

A la Houppe !


*Myrtil,* à Rose.

A ses vœux ne sois pas trop rebelle,

Dis ?


*Rose.*

Non, mon père.

Entre le prince Riquet à la Houppe, avec l'air gai, bon et
aimable, mais cruellement disgracié, borgne, bossu, boiteux,

tortu, chauve, avec une houppe de cheveux au milieu de
la tête. A sa vue, le roi Myrtil et son bouffon s'enfuient,
en poussant un cri d'horreur. Puis Rose s'avance près de
Riquet et d'abord le regarde curieusement, puis s'enfuit
de même en poussant un grand cri.

*Myrtil* et *Clair de Lune*, s'enfuyant et criant.

Ah !

*Rose*, de même.

Ah !

*Riquet*, foudroyé d'admiration et suivant des yeux la
princesse Rose qui disparaît.

Terre et cieux ! Qu'elle est belle ! !

Il sort avec Luciole.

## SCENE VI

Dans la forêt. Riquet, assis sur une roche moussue, rêve
extasié et déjà en proie à l'obsession de l'amour.

## RIQUET, puis CLAIR DE LUNE.

*Riquet.*

Rose ! Rose ! Doux nom glorieux et vainqueur !

Nom que redit ma bouche et qui m'emplis le cœur,
Ton charme pénétrant de mes pleurs est la cause.
Rose, être gracieux ! Rose ! princesse Rose !
Mieux que le flot vermeil sorti du noir raisin
Il m'enivre, ton nom chéri !

> *Clair de Lune*, entrant.

> > Bonjour, cousin.

> > *Riquet.*

Qu'est-ce à dire ?

> > *Clair de Lune.*

> > Une idée en ma cervelle trotte.
C'est que je veux t'offrir, ami, cette marotte.

> > *Riquet.*

Drôle !

> > *Clair de Lune.*

> > J'avais pensé, marchant sans savoir où,
Que de tous les humains c'était moi le plus fou.
Rester dans une cour lorsque tout fuit loin d'elle,
Ne pas suivre le flot stupide, être fidèle,
J'imaginais que rien n'était plus insensé ;
Mais c'était une erreur et tu m'as dépassé.
Plus que la mienne encor ta folie est certaine.

*Riquet*, se levant.

Comment ?

*Clair de Lune.*

Regarde-toi, cousin, dans la fontaine.
Ainsi fait, bossu, noir comme un marchand d'Alep,
Très chauve, fors ta houppe, et tortu comme un cep
De vigne, dont les ans font grisonner l'écorce,
Moins droit que le dessin d'une colonne torse,
Par surcroît borgne aussi, tu t'avises d'aimer !
Et qui ? Celle qui n'a qu'à venir pour charmer.
Qui ? La princesse Rose, une beauté céleste !
Donc, si tu ne t'en vas sans retard, d'un pied leste,
Nul n'est plus fou que toi, ces bois m'en sont témoins.
Retourne chez toi. Va, mon confrère.

*Riquet.*

Du moins,
Si je suis fou, je suis en même temps un prince.

Il jette une bourse d'or à Clair de Lune, qui la saisit au vol.

*Clair de Lune.*

Puisqu'en ces lieux le sort a voulu que je vinsse,
Envers vous je fus dur. Vous vous êtes vengé.
L'or, par le vil troupeau des hommes louangé,
Traîne après sa splendeur un cortège funeste :

Le mensonge et la haine et la guerre et la peste.
Avoir de l'or, c'est donc être un misérable. Or,
Vous m'en avez donné pas mal. Eh bien! cet or
Qui produit tous les maux dont aucun ne s'excepte,
Pour ma punition, monseigneur, — je l'accepte!
Mais, croyez-moi, fuyez, allez-vous-en d'ici.
Et, dussiez-vous en croupe emporter le souci,
Que votre cheval coure et galope sans cesse
Et vole!

### Riquet.

Et qui te dit que j'aime la princesse?

### Clair de Lune.

Qui me le dit? Mais tout. Ces soupirs d'orphelin
Bons à faire tourner les ailes d'un moulin,
Et la morne pâleur qui couvre ce front blême.
Vous aimez la princesse!

Il sort.

## SCÈNE VII

### RIQUET.

Il a raison. je l'aime.

C'en est fait, ce triste cœur bat !
La fièvre me dévore, et sous l'ombre des chênes
Je me traine, lié par d'invisibles chaines,
Et prisonnier de guerre, et vaincu sans combat.
Hier encor, je bravais l'adorable martyre
        Qui me brûle et m'attire.
    Toi qui m'as pris, Amour, dans ton filet,
        Dis, que faut-il que j'ose ?
    A mon aspect on fuit, tant je suis laid !
    Et je suis fou de la princesse Rose.

    Rions-en, de peur d'en pleurer !
Car depuis un instant le sort qui me torture
Me jette en une telle et si folle aventure
Qu'il faut vraiment en rire, ou me désespérer.
Eh bien ! jusqu'à la lie enfin vide la coupe,
        O Riquet à la Houppe !

Oui, ce tortu, ce borgne, ce bossu,
    Ce monstre à l'air morose
Que l'oiseau raille en son abri moussu,
Est amoureux de la princesse Rose.

    Puisqu'il me faut aimer, hélas!
Pourquoi suis-je loti d'un si piteux visage,
Contraire aux lois, aux mœurs, au caprice, à l'usage,
Au lieu d'avoir les traits de Narcisse ou d'Hylas?
Mais, puisque désormais je dois mourir ou vivre
    Pour celle qui m'enivre,
Pauvre insensé, dont l'œil est ébloui
    De cette fleur éclose,
Par le secours d'un prodige inouï
Tâchons de plaire à la princesse Rose.

    Non, va-t'en, chimérique espoir!
Car le moyen de plaire avec cette enveloppe?
Avec ce dos rebelle et ce front de cyclope?
Je dois m'aller cacher sous quelque ombrage noir
Dans ces bois, où bientôt les loups de roche en roche
    Fuiront à mon approche.
En vain l'amour décevant m'appelait :
    Tout à mes vœux s'oppose.
A mon aspect on fuit, tant je suis laid!
Et je suis fou de la princesse Rose.

Depuis un instant, la fée Diamant a paru derrière un vieil
arbre, aux longues branches étendues, et elle écoute Riquet.
Sur ses dernières paroles, elle se montre à lui et l'aborde.

## SCÈNE VIII

## RIQUET, DIAMANT.

*Diamant.*

Est-ce toi que j'entends ainsi désespérer?

*Riquet.*

Et quel est mon recours, sinon de soupirer?

*Diamant.*

Contre tous les périls ton âme était sereine.

*Riquet.*

Mais non contre celui qu'il faut braver, marraine.

*Diamant.*

Toi qui riais au ciel depuis l'aube du jour!

*Riquet.*

Je n'avais pas senti les griffes de l'amour.

*Diamant.* •

Riquet, je t'ai connu si vaillant et si brave !

*Riquet.*

On ne l'est plus, marraine, alors qu'on est esclave.

*Diamant.*

Rien n'est vraiment obstacle, excepté le tombeau.

*Riquet.*

Et je n'aurais pas peur, si je me savais beau.

*Diamant.*

L'homme hardi triomphe, et conquiert toute chose.

*Riquet.*

Vous avez raison, tout : non la princesse Rose.

*Diamant.*

Et pour quoi comptes-tu l'esprit ? Cet enchanteur
Fait oublier le temps, comme un oiseau chanteur.
Il persuade, il a des grâces non pareilles ;
Il éblouit les yeux en charmant les oreilles,
Et sait garder la proie heureuse qu'il surprit.
Riquet, puisque mes soins t'ont donné de l'esprit,

Montre-le comme une aile en feu qui se déploie,
Et tu t'évaderas, en frémissant de joie,
De la geôle où ton cœur dans un piège est serré.
Parle, étonne, ravis.

*Riquet*, cherchant encore des yeux la fée Diamant,
qui a déjà disparu.

Marraine, j'essaierai!

Il sort.

# ACTE TROISIÈME

## *SCÈNE PREMIÈRE*

Une clairière de jardins antiques, entourée de charmilles
devenues énormes. Statues brisées et couvertes de mousse.
Une pièce d'eau dans une vasque de marbre, envahie par
les nénuphars. Rose est assise sur un banc, dans une attitude de réflexion et de rêverie.


### ROSE.

C'est ici que souvent les biches viennent boire.
Me voilà seule enfin sous la charmille noire.

Un rossignol chante. La princesse Rose l'écoute curieusement,
et essaye d'imiter ce chant qui la ravit.

Tio, tio, tio, tiotinx. Dans son vol
Au-dessus de mon front, comme ce rossignol

Chante! Sa voix est d'or comme un habit de fête.

> Chant du rossignol.

Tio, tio, tio. Pourtant, c'est une bête.

> Après un silence.

Comme moi. Car j'ai beau me cacher dans la nuit,
Toujours le mot cruel me cherche et me poursuit.
Bête! Je l'entends rire et sonner dans ma tête.
Les tout petits enfants murmurent : Elle est bête!
Et ce nom m'accompagne et s'attache à mes pas.
Je suis bête. Pourquoi ?

> A partir de ce moment, et pendant toute la première partie
> de la scène suivante, Riquet à la Houppe parle, caché à
> demi derrière la charmille, et de temps en temps aperçu
> du spectateur, mais toujours invisible pour la princesse
> Rose.

## SCÈNE II

### ROSE, RIQUET, d'abord caché.

#### Riquet.

Non, vous ne l'êtes pas!
En vous l'esprit subtil se recueille et sommeille,

Comme un insecte bleu dans une fleur vermeille,
Et bientôt, sous le souffle embrasé de l'amour,
Il ouvrira son aile heureuse vers le jour!

*Rose.*

Qui parle ainsi ?

*Riquet.*

Peut-elle être une bête, celle
Dont le front radieux comme un astre étincelle ?
L'étoile aux rayons blancs qui dans les cieux fleurit,
Par cela seulement qu'elle existe, est esprit,
Et flambeau du palais comme de la chaumière,
Elle est une pensée, étant flamme et lumière.

*Rose.*

Qui donc me parle avec une si douce voix ?

Elle se lève et cherche en vain autour d'elle, toujours évitée
par Riquet à la Houppe.

C'est en vain que je cherche à l'entour. Je ne vois
Personne.

*Riquet,* toujours caché.

O chaste fleur, beauté pleine de grâce!
Je ne suis qu'une voix amoureuse qui passe,

30

Une âme prise aux lacs de vos divins appas.
Ne me regardez pas, ne vous retournez pas!
Rêvez. Gardez encor votre paupière close.
O miracle béni des cieux, princesse Rose!
Votre nom avec vous forme un accord parfait,
Et vous êtes pareille à la rose, en effet.
Votre lèvre ingénue avec sa pourpre lisse
A toutes les rougeurs de son tendre calice,
Et votre joue en fleur, blanche et rose à la fois,
Est comme l'églantine adorable des bois.
Je vous aime, ô beauté rougissante, et j'admire
Que la nature avec ses haleines de myrrhe
Et sa neige et sa flamme et ses rayons jaloux
Ait pu d'un même sang créer la rose et vous.
Et je suis à vos pieds, l'âme pleine de joie.
Ma reine!

*Rose,* curieuse.

Montrez-vous enfin, que je vous voie.

*Riquet.*

Hélas! vous auriez peur à me voir : je suis laid.

*Rose.*

Quoi donc! Vous dont la voix si tendrement parlait!

*Riquet.*

Mon visage est affreux, si mon langage est tendre.

*Rose.*

Venez sans perdre temps, c'est trop me faire attendre.

*Riquet.*

Ah! madame, souffrez que je reste inconnu.
Je ne suis qu'une ébauche, un monstre mal venu,
Un pauvre être, effrayant la terre qui le porte.
On a mal façonné ma figure.

*Rose.*

Qu'importe?
Vos discours m'ont su plaire, et quand je l'aurai vu,
Votre visage aussi me conviendra, —

*Frappée par une réflexion soudaine.*

Pourvu
Qu'il ne ressemble pas, affligé d'une loupe,
Au visage...

*Riquet.*

De qui?

*Rose.*

De Riquet à la Houppe!

*Riquet.*

Riquet vous semble donc...

*Rose.*

Épouvantable à voir.

*Riquet,* à part.

Hélas!

*Rose.*

Hideux, bossu, tortu, difforme, noir.
Certes je m'enfuirai bien loin, s'il faut qu'il m'aime.
Mais oublions ce monstre.

*Riquet,* douloureusement.

Et si c'était moi-même!

*Rose,* avec terreur.

Vous!

Vaincue par sa curiosité.

N'importe. Venez!

Riquet paraît et timidement, avec une humilité résignée,
vient s'agenouiller aux pieds de la princesse Rose, qui, à sa
vue, ne peut retenir un cri d'épouvante.

Ah!

*Riquet.*

Je le savais bien.
Je vous semble un démon du désert libyen.

De toutes les laideurs je suis un amalgame,
Pareil aux visions des rêves. Mais, madame,
O beauté que j'adore à la face du jour,
Si vos yeux dans mon cœur pouvaient voir mon amour,
Il vous semblerait beau comme un guerrier céleste !
En dépit de mon sort déplorable et funeste,
Je vous aime. Je puis combattre avec l'essor
D'un aigle, et conquérir pour vous des toisons d'or,
Et tuer le dragon, soit qu'il veille ou qu'il dorme.
Mais, hélas ! vous rirez du pauvre être difforme
Dont l'esprit follement jusqu'à vous s'envolait.

*Rose,* attendrie.

Non. Je crois qu'à présent je vous trouve moins laid.

*Riquet,* se relevant. Avec extase.

Dieux !

*Rose.*

Mais je veux en vain chérir votre conquête.
Le destin qui vous a fait laid, m'a faite bête.
Oui, ma pensée, à qui la clarté ne vient pas,
Comme un petit enfant trébuche à chaque pas,
Et pour la retrouver je souffre le martyre.

*Riquet.*

Ah ! si vous me disiez seulement : *Je désire*
*Vous aimer...*

*Rose.*

Eh bien !

*Riquet.*

Oui, rien que ces quatre mots !
Aussitôt vos ennuis, vos chimères, vos maux
S'enfuiraient tous : le mot qui peint et qui devine
Courrait sur votre lèvre ingénue et divine ;
Vous sauriez exprimer la clarté, les rayons,
Tout ce que nous sentons, tout ce que nous voyons ;
Et votre bouche, ouverte ainsi qu'une corolle,
Ayant cette beauté suprême, la parole,
Vous sentiriez en vous le marbre s'animer.

*Rose.*

Je désire...

*Riquet.*

Achevez, chère âme !

*Rose.*

Vous aimer.

*Riquet.*

Moi ! moi ! justes cieux ! Donc, c'est l'heure. O ma princesse,
Éveillez-vous ! Le jour se lève et la nuit cesse.

Riquet sort en jetant des regards pleins d'amour sur la princesse Rose, dont aussitôt le visage s'anime, resplendit
comme d'une flamme intérieure et paraît transfiguré.

## SCÈNE III

### ROSE.

Oui, mon esprit enfin s'éveille tout joyeux.
            Je pense, je respire,
Et je sens que j'existe, et que devant mes yeux
            Un voile se déchire.

J'admire tout, l'étoile au fond des cieux dormant
            Et la flamme dans l'âtre,
Et le souci des jours et l'attendrissement,
            Et la gaieté folâtre.

Tout est beau. La nature immense que je vois
            Jette de ses amphores
Un long bruissement de rires et de voix
            Et de chansons sonores.

Morne, je ne savais rien comprendre et rien voir.
            J'étais l'enfant qui joue
En amassant du sable, et qui laisse pleuvoir
            Ses cheveux sur sa joue.

Mais je lève mon front sous le frémissement
          De leur flot d'or rebelle;
Je souris et je sens délicieusement
          Le bonheur d'être belle.

Oui, puisque mon image emplit tes yeux ravis
          Comme une aube dorée,
Je voudrais t'aimer, toi qui, dès que tu me vis,
          M'as sur l'heure adorée.

Oui, je voudrais t'aimer, ô toi qui dissipas
          Ma nuit pensive et blême.
Je voudrais... mais qui sait si je ne t'aime pas?
          Je l'ignore moi-même.

Hélas! non, je suis femme, et toujours notre lot,
          O folles créatures!
Fut de chérir d'abord, comme un fou son grelot,
          De belles impostures.

O toi qui m'as fait voir un coin du paradis!
          Si j'étais un peu sage,
Certes, je songerais aux choses que tu dis,
          Bien plus qu'à ton visage.

Puisque tu m'aimas bête, errant comme s'enfuit
          Une folle antilope,
J'aimerais le génie éblouissant qui luit
          Sous ta laide enveloppe,

Et je savourerais, comme un généreux vin
    Dans la grossière coupe,
Dans un corps mal venu l'esprit clair et divin
    De Riquet à la Houppe !

Je n'aime pas celui qui m'adore, hélas ! non,
    Mais à ce moment même
Où, seule, je me plais à redire son nom,
    Je suis fière qu'il m'aime.

Luciole entre, sans être aperçu de la princesse Rose, tout
entière à sa pensée.


## SCÈNE V


## ROSE, LUCIOLE.


*Luciole*, à part.

La princesse ! Tâchons — rien ne me le défend —
De me faire comprendre à cet esprit d'enfant.
Thisbé serait ici trop belle pour Pyrame,
Et j'ai fait, sans nul doute, un pas de clerc.

Haut, à Rose.

Madame,
J'ai là-haut, tout à l'heure, entendu votre cri...

*Rose*, hautaine.

Quel cri?

*Luciole*.

Je comprends bien, certes, qu'un tel mari,
Tortu, mal agencé, difforme avec sa bosse,
Vous apprête l'ennui d'une fâcheuse noce.
Pourtant ce malheureux de vous plaire est jaloux.
Laid, mais très amoureux.

*Rose*.

De qui donc parlez-vous,
Seigneur, en égrenant une si belle gamme?

*Luciole*.

Mais du prince Riquet à la Houppe, madame.

A part.

Je crois qu'elle comprend.

*Rose*.

Si vous parlez de lui,

Monsieur, dites alors que sur son front a lui
Le signe glorieux de la bravoure sainte.
Dites que ses cheveux pareils à l'hyacinthe
Retombent sur un cou de marbre, et qu'en effet
Il est beau, gracieux, —

*Luciole.*

Quoi, princesse !

*Rose.*

Bien fait.

Fier comme le soleil sur le rivage more.

*Luciole.*

Pourtant, madame, plus je me le remémore,
Moins bien vos souvenirs me semblent renseignés.
Certes, il n'est pas tel que vous le dépeignez.
Et pourtant, je voudrais qu'il le fût, pour sa gloire.

*Rose.*

Eh bien ! seul entre tous, monsieur, vous devez croire
Qu'il est ainsi, charmant et beau. Car, s'il vous plait,
Vous êtes sa copie et son pâle reflet.
Sans lui vous ne seriez qu'un vain chiffre du nombre ;
Il est le seul rayon qui vous sorte de l'ombre.
S'il vient dans un royaume ou dans quelque duché,
On vous prend avec lui par-dessus le marché.

S'il veut boire, c'est vous qui remplissez sa coupe.
Vous êtes l'écuyer de Riquet à la Houppe,
Rien de plus. En douter, monsieur, serait d'un fou.
Il est l'or pur qui sonne et vous êtes le sou
Qui prend de l'écu d'or sa valeur virtuelle.

*Luciole,* à part.

Par Hercule ! je crois qu'elle est spirituelle.

*Rose.*

Vous seriez peu content, je pense, d'être au su
Du monde entier, monsieur, le reflet d'un bossu :
Donc, le prince est très droit. Soignez votre fortune.

*Luciole,* interdit.

J'obéirai, madame.

Entre Clair de Lune qui, dès qu'il aperçoit la princesse Rose,
    et avant même qu'elle ait ouvert la bouche, est frappé de
    sa complète transformation.

## SCÈNE V

ROSE, LUCIOLE, CLAIR DE LUNE.


*Rose.*

Ah! c'est toi, Clair de Lune,
Bon serviteur!

*Clair de Lune,* à part.

Vraiment, la princesse n'est pas
Comme toujours. Sa voix, son visage, son pas,
Tout a changé.

*Rose,* affectueusement.

Mon vieil ami! Rose près d'elle
Aime à te voir. Toi seul fus sincère et fidèle.

*Clair  de  Lune.*

Je vous sers humblement, princesse.

**A** part.

Douce enfant !

*Rose.*

Quand mon père était riche, heureux et triomphant,
Quand il avait à lui des châteaux et des plaines,
Tous mendiaient, courbés et baisant ses mains pleines,
Mais toi, content, modeste, heureux d'être avec nous,
Ami, tu me faisais sauter sur tes genoux ;
Tu disais des chansons, les plus belles du monde,
Et parfois tu baisais ma chevelure blonde.
Toi seul par tes bons mots tu nous émerveillais.
Tous ces plats courtisans, comme tu les raillais,
Sachant comme à bien faire un serviteur s'honore,
Et tu ne voulais rien que ton grelot sonore !

*Clair  de  Lune.*

Je ne veux rien de plus, et pour moi c'est assez.

*Rose.*

Bon Clair de Lune, enfin, nos bons jours sont passés.

*Clair  de  Lune.*

Et vous êtes toujours ma princesse, et ma joie

Est de voir ce bel œil qui rayonne et flamboie ;
Esclave sous vos pieds, de chérir mon lien ;
De garder votre porte et d'être votre chien,
Et de vous protéger contre l'ennui morose.

La princesse Rose met ses deux petites mains sur la bouche
de Clair de Lune qui les couvre de baisers.

### Rose.

Ta princesse, dis-tu ! non, ta petite Rose !

Elle sort.

## SCÈNE VI

### LUCIOLE, CLAIR DE LUNE.

### Luciole.

Qui l'eût cru, Clair de Lune ?

### Clair de Lune.

Écuyer, qui l'eût dit ?

*Luciole.*

Que la pensée enfin sur ce front resplendit, —

*Clair de Lune.*

Et que, par un miracle heureux, le ciel avare
Eût paré de ses dons cette beauté si rare?

*Luciole.*

La princesse a perdu son mutisme odieux,
Et parle comme vous et moi.

*Clair de Lune.*

      Mille fois mieux,
Luciole! Écuyer, la parole est femelle,
Sachez-le. Plaise à Dieu que nous parlions comme elle!
Mille fois mieux! — Allons vite annoncer, dût-il
En pleurer, la nouvelle heureuse au roi Myrtil!

        Ils sortent.

# ACTE QUATRIÈME

---

### SCÈNE PREMIÈRE

La salle du trône. Le trône dépenaillé laisse pendre des lambeaux de son velours et de ses franges d'or. Sur le siège, de petits chats sont endormis.

MYRTIL, LUCIOLE, CLAIR DE LUNE.

#### *Myrtil.*

N'éveillez pas ces chats qui dorment sur mon trône !
Parlons bas. Mes amis, je ris comme un vieux faune,
Tant cet événement imprévu me surprit.
Ne me trompez-vous pas ? Ma fille a de l'esprit !
En êtes-vous certains ? Rose, de l'esprit !

*Luciole.*

Sire,

C'est comme nous avons l'honneur de vous le dire.

*Myrtil.*

Ma fille a de l'esprit!

*Luciole.*

Oui, Sire, et du meilleur.

*Clair de Lune.*

Vif, éclatant, divers, tendre, enjoué, railleur, —

*Luciole.*

Dont la flamme a d'abord ébloui nos cervelles.

*Clair de Lune.*

Elle trouve aussitôt des images nouvelles,
Des tropes dont l'éclat n'a pas encor servi.
Le mot, le mot fugace est par elle asservi,
Fait, selon qu'il lui plaît, du calme ou du tapage,
Et suivant sa pensée, il la sert comme un page.

*Luciole.*

Que je sois un manant, s'il n'en est pas ainsi.
Elle parle à ravir.

*Myrtil.*

Je me disais aussi :
Étant ma fille, alors la règle habituelle
Exige qu'elle soit au fond spirituelle.

*Luciole.*

A présent, tout en elle est digne de son rang.

*Myrtil.*

Puisqu'elle a de l'esprit, je reconnais mon sang.

*Luciole.*

En effet.

*Myrtil.*

Mais voyez, c'est elle qui s'approche,
— Oh ! ce spectacle-là fendrait un cœur de roche ! —
Et tient dans sa main blanche, être doux et charmant,
Un livre qu'elle lit tout bas, pensivement.
Mais comment se peut-il, cela tient du délire,
Qu'elle lise si bien, n'ayant jamais su lire ?
Entendez-vous ? Jamais.

*Clair de Lune.*

Elle lit, cependant.

Entre la princesse Rose, tenant le livre dont la lecture
l'absorbe.

## SCÈNE II

MYRTIL, LUCIOLE, CLAIR DE LUNE,
ROSE.

*Myrtil,* bas, à Clair de Lune.

Oui, je vais lui parler. Je serai très prudent.

Haut, à Rose.

Quel est ce livre, à qui ta jeune âme se livre
Si passionnément?

> *Rose,* fermant le livre et le posant sur un meuble
> à côté d'elle.

Qu'importe? c'est un livre!
Et quel que soit un livre, en sa neige endormi,
Il reste le plus sûr des amis. Quel ami,
Sinon lui, nous fait voir par un heureux mensonge
Le spectacle éternel de la vie et du songe?
Quel courtisan docile au visage changeant
Nous ravit, sans vouloir nous voler notre argent?

Qui nous amuse ? Quel ami, sinon le livre,
Du vin de l'idéal sans dégoût nous enivre,
Et nous aime, fidèle avec sévérité ?
Il nous donne l'amère et sainte vérité.
Il rit et pleure ; il sait chanter comme une lyre,
Et, parmi les plaisirs de ce bas monde, lire
Est le seul qui jamais ne peut nous décevoir.

### Myrtil.

Ma fille a raison. Car, ainsi qu'on peut le voir,
Un livre, qu'on obtient pour d'assez faibles sommes,
Est difficilement aussi plat que les hommes.

Zinzolin passe au fond de la salle. tenant dans sa main un
luth.

## SCÈNE III

## MYRTIL, LUCIOLE, CLAIR DE LUNE, ROSE, ZINZOLIN.

### Myrtil, à Zinzolin.

Où vas-tu, page, avec cet air si résolu ?

*Zinzolin.*

Sire, ayant sagement et patiemment lu
Dans la géographie et la métaphysique,
Je vais étudier ma leçon de musique.

*Rose,* à Zinzolin.

Bien. Donne-moi ce luth.

*Myrtil,* bas, à Clair de Lune et à Luciole.

Amis, qu'allons-nous voir
Ici de nouveau ?

*Zinzolin,* à Rose.

Mais, madame, il faut savoir
En jouer. La musique a des abords farouches.
On promène ses doigts agiles sur les touches,
Tandis qu'en même temps les doigts de l'autre main
Pincent les cordes. Sans s'égarer en chemin,
Il faut bien vite, avant qu'elles ne soient perdues,
Rallier le troupeau des notes éperdues
Et marier les sons, tantôt longs ou plus courts.
Ne le fait pas qui veut.

*Rose,* souriant.

C'est bon. Donne toujours.

*Clair de Lune,* montrant au roi la princesse Rose qui
promène ses doigts sur l'instrument et prélude.

Sire, quelque démon prodigieux l'inspire.

#### Luciole.

J'entends déjà le luth qui s'éveille et soupire.

#### Myrtil.

Quoi que tente ma fille, elle arrive à son but.
Il serait curieux qu'elle jouât du luth !

La princesse Rose joue quelques mesures avec une virtuosité
incomparable.

#### Luciole.

O doux et merveilleux accords !

#### Myrtil.

                    C'est qu'elle en joue !
Clair de Lune, je sens des larmes sur ma joue :
Mais ces chants valent bien les pleurs qu'ils m'ont coûtés.

#### Clair de Lune.

Sire, au bas mot.

La princesse Rose joue de nouveau ; puis repoussant le luth
loin d'elle, ouvre la bouche, comme inspirée.

*Myrtil.*

Voici qu'elle parle. Écoutez.

*Rose.*

Mais qu'importe le luth et son âme physique !
O ma jeune pensée, ouvre tes ailes d'or,
Parle ! Qu'est-il besoin de la vaine musique
Pour guider vers le ciel ton fulgurant essor ?
Musique de la voix, chanson de la parole,
　　D'où tout artifice est banni !
　　Ton éclat n'est jamais terni ;
　　Ton rhythme en plein azur s'envole ;
　　Et tu sais, mieux qu'un art frivole,
　　Nous emporter dans l'infini.


O voix, parole, verbe ! ô sainte poésie !
En toi brillent les feux resplendissants du jour ;
Clair éblouissement dont l'âme s'extasie,
Toi seule es pour nos cœurs la langue de l'amour.
Tu berces doucement le rêve inconsolable ;
　　Tu fais jaillir sur les chemins
　　Des lys, que rencontrent nos mains ;
　　Et, rendant l'idéal palpable,
　　Pour exprimer l'inexprimable
　　Tu trouves des mots surhumains.

Voix humaine, c'est toi le luth, c'est toi la lyre !
L'ouragan déchaîné te caresse en passant.
Qu'un instant le méchant triomphe en son délire,
Parole ! comme un arc superbe et frémissant,
Tu lances le sarcasme et la flèche Ironie.

     Extase des sages devins,
     Les imbéciles aux cœurs vains
     Sont effrayés par ton génie,
     Et dans ta vaste symphonie
     Éclatent les rires divins.


Toi seule, tu n'es pas rivée à la matière.
Tous les vils instruments, tu n'en as pas besoin.
Dans la création que tu vois tout entière,
Tu t'élances toujours plus haut, toujours plus loin.
Le ciel sent frissonner jusqu'à ses bleus pilastres,
     Quand le Rhythme dicte ses lois
     A tous les soleils, Dieux et rois ;
     Et les destins et les désastres,
     Et le vol effréné des astres,
     Tout cède au charme de la voix.


    *Myrtil,* prenant dans ses bras la princesse Rose,
       dont il baise la chevelure.

Chère enfant ! — Qui t'apprend toutes ces belles choses,
Ma Rose, mille fois plus belle que les roses ?

                           33

*Rose.*

Je ne sais.

*Myrtil.*

J'ai, ma foi, pleuré comme un vilain.

*Rose,* tendrement.

O mon père chéri!

A Zinzolin.

Maintenant, Zinzolin,
Viens. Nous étudierons la leçon de musique.

La princesse Rose sort avec Zinzolin, qui porte le luth.

## SCÈNE IV

## MYRTIL, LUCIOLE, CLAIR DE LUNE.

*Myrtil.*

L'étonnement, pour peu, me rendrait aphasique.
Non, ce n'est pas un piège à ma raison tendu.
Elle jouait du luth. J'ai très bien entendu.

Voilà qui va des mieux. Ceci change la thèse.
Certes, ce fait n'est pas de ceux qu'il faut qu'on taise.
—Bientôt nous allons voir ici de beaux festins!—
Clair de Lune, écris vite aux rois les plus lointains;
Dis-leur expressément, dans ta plus belle prose,
Que la princesse Rose est une virtuose;
Et, plus vite qu'en l'air ne s'envole un duvet,
Tu les verras venir, comme s'il en pleuvait.

*Clair de Lune.*

Oui, Sire.

*Luciole.*

Mais alors, que deviendra mon maitre?

*Myrtil.*

Qui? Riquet à la Houppe? Au fait, où peut-il être?

*Luciole.*

Sire, dans une grotte, au fond de vos jardins
Où la gazelle passe avec des bonds soudains.
Mon maitre, fou d'amour, en ce réduit agreste
Se recueille. Il est là.

*Myrtil.*

C'est très bien. Qu'il y reste!

Ils sortent.

## SCENE V

Devant le palais. Le parc, tel qu'on l'a vu au premier acte,
mais noyé maintenant dans les pourpres éclatantes d'un
coucher de soleil. Le roi Myrtil entre avec la princesse
Rose, continuant une conversation commencée.

### MYRTIL, ROSE.

#### Myrtil.

Oui, ce parc autrefois réglé par les ciseaux,
Est devenu caduc et fleuri. Les oiseaux,
Sous leurs plumages fous pareils à des simarres,
L'emplissent à l'envi de fâcheux tintamarres.
Mais comme on y fait bien les couchers de soleil!
Là, dans ce flamboiement lilas tendre et vermeil,
Vois, parmi les lueurs de mille apothéoses,
Dans les rouges clartés saigner le cœur des roses.
Et, montrant cependant l'azur essentiel
De son gouffre éperdu, l'immensité du ciel
De cuivre jaune et d'or enflammé s'emplit toute.

*Rose.*

Et ne dirait-on pas que là, dans cette route,
Sur leurs chevaux aux crins envolés, par milliers
Passent, environnant les chars, des cavaliers
Aux manteaux flottants, faits de pourpres et de neiges?

Sur les dernières paroles de la princesse Rose, est entré
Clair de Lune, suivi de Zinzolin.


## SCÈNE VI


MYRTIL, ROSE, CLAIR DE LUNE,
ZINZOLIN.


*Clair de Lune,* à Rose.

Mais, madame, ce sont en effet des cortéges.

A Myrtil.

Je n'ai pas eu besoin d'écrire aux rois lointains,
Sire. Un sylphe sans doute et ses petits lutins,
Ou quelque bonne fée émergeant des pervenches

Sur son char d'or traîné par des colombes blanches,
Ou le zéphyr, ou bien quelque bel oiseau bleu,
Rayant l'air de son aile et de son vol de feu,
Ont porté, dans la nue éclatante et profonde,
Notre bonne nouvelle à tous les points du monde.
Quoi qu'il en soit, partout sur de blancs palefrois
Se presse aux alentours une foule de rois,
Qui viennent, la louant et l'adorant sans cesse,
Disputer à l'envi notre belle princesse.

A Rose.

En ce triste palais que l'ennui ravagea,
Madame, trois d'entre eux sont arrivés déjà.
Ce sont trois preux connus dans la chevalerie :
Le prince d'Aragon et le roi d'Illyrie
Qui porte sur son casque un vautour, et le noir
Prince de Maroc.

#### Myrtil.

Bon. Veux-tu les recevoir ?

#### Rose.

Mon père, j'y consens volontiers.

Le roi Myrtil fait un signe à Zinzolin, qui sort.

Des armures
Feront bien dans ce parc où rougissent les mûres.
Il me plaît qu'adorant mes yeux ensorceleurs,

Ces durs faiseurs d'exploits viennent parmi nos fleurs ;
Et leur soumission fût-elle imaginaire,
On aime à conquérir ceux-là qui d'ordinaire
Autour d'eux sans pitié répandent les effrois.
Museler des lions me semble doux.


## SCÈNE VII


MYRTIL, ROSE, CLAIR DE LUNE,
ZINZOLIN, LE PRINCE D'ARAGON,
LE ROI D'ILLYRIE, LE PRINCE DE
MAROC.


*Zinzolin*, annonçant.

Les Rois !

*Le prince de Maroc,* à Myrtil.

Sire, nous accourons vers la princesse Rose,
Dont la beauté superbe et la métamorphose
Enchantent des pays d'elle-même inconnus.

### Myrtil.

Princes, dans ce château soyez les bienvenus.
Parlez comme il vous plait, ma fille vous écoute.

### Le prince d'Aragon, à Rose.

Ainsi qu'un astre au front de la céleste voûte,
Madame, vous brillez; vos yeux sont fiers et doux :
Heureux le roi choisi qui sera votre époux !

### Le roi d'Illyrie.

Heureux le roi choisi qui, pareil aux Dieux même,
Sur votre front de lys mettra le diadème !

### Le prince de Maroc.

Heureux le prince à qui ce bonheur est promis,
En vous offrant la terre et cent peuples soumis,
D'entendre un mot d'espoir sortir de votre bouche !

### Rose.

Princes, assurément votre hommage me touche.
S'il me fallait ici choisir parmi vous trois,
Qui serait le meilleur ? Et parmi de tels rois,
S'il fallait en prendre un pour maitre ou pour esclave,
Comment nommer le plus farouche et le plus brave ?
Acceptez cependant, Seigneurs, mon amitié,

Mais pour mon cœur, déjà donné plus qu'à moitié,
Renoncez-y tous trois, c'est perdre peu de chose.

*Le roi d'Illyrie.*

C'est perdre tout, hélas! belle princesse Rose.

*Le prince de Maroc.*

Nos espoirs sont-ils morts, ou sont-ils différés?

*Le prince d'Aragon.*

Quel est donc le rival que vous nous préférez?

*Rose.*

Princes, vous le saurez tout à l'heure.

A Myrtil.

Mais, Sire,
Il est quelqu'un ici que mon âme désire
Et sans qui je ne puis encor décider rien.

*Myrtil.*

Fais venir ce quelqu'un, je le permets.

*Rose.*

Eh bien, —

34

*Dans une attitude d'invocation.*

Puisque l'amour s'éveille et naît dans ma poitrine
Sans effroi,
Fée à la tresse d'or, ma marraine Cyprine,
Viens à moi !

Peut-être aurai-je enfin, quand tu seras présente,
Mérité
De pouvoir contempler de près l'éblouissante
Vérité.

La voix qui tout enfant me charma la première,
C'est ta voix ;
Elle me guidera vers la douce lumière
Que je vois,

Et puisque ma pensée a son mystère en elle,
Si tu veux,
Je saurai quel frisson tourmente de son aile
Mes cheveux.

Où ! si loin que tu sois, t'envolant dans un rêve
Souriant,
Ou, dans le sable fin, marchant sur quelque grève
D'Orient,

Viens, toi qui sais calmer par tes divins prodiges
Nos douleurs,
Et qu'emporte la nuit errante et qui voltiges
Sur les fleurs !

Devant toi mon esprit, sans crainte et sans paresse,
          Est joyeux,
Car tu portes la mer et sa molle caresse
          Dans tes yeux.

Ces yeux victorieux, assez profonds pour boire
          L'or du jour,
Sont des gouffres d'extase, et ta prunelle noire
          Dit : amour !

Viens — le soir a plié la pourpre de ses voiles
          Et s'enfuit, —
Avant que dans le ciel s'allument les étoiles
          De la nuit ;

Car pour pouvoir à tous avouer ce qu'elle ose
          Révéler,
C'est à toi seulement que ta petite Rose
          Doit parler.

  *Un buisson de roses s'entr'ouvre et la fée Cyprine paraît.*

## SCÈNE VIII

MYRTIL, ROSE, CLAIR DE LUNE, ZIN-
ZOLIN, LE PRINCE D'ARAGON, LE
ROI D'ILLYRIE, LE PRINCE DE MA-
ROC, CYPRINE.

### Cyprine.

Rose, parmi ces rois en qui ton œil savoure
La beauté, la jeunesse heureuse, la bravoure,
Tu peux choisir sans crainte, ils sont dignes de toi.

### Rose.

Marraine, chacun d'eux porte le nom de roi
D'une âme à la splendeur sereine habituée.
Lorsqu'ils passent, on voit frémir dans la nuée
La Victoire envolée au-dessus de leurs pas;
Tout leur est fête; mais si je ne choisis pas

Le maître de mon cœur parmi ce vaillant groupe,
C'est que j'aime déjà...

*Cyprine.*

Qui ?

*Rose.*

Riquet à la Houppe !

*Cyprine.*

Tu l'aimes ?

*Rose.*

Oui.

*Cyprine.*

Bossu ? Tortu ?

*Rose.*

Je l'aime ainsi.

*Cyprine.*

Boiteux ? Chauve ?

*Rose.*

Oui.

*Cyprine.*

Sois donc heureuse, le voici.

La fée Diamant sort de la grotte, tenant par la main Riquet à la Houppe, jeune, devenu beau, transfiguré et brillant de joie.

## SCÈNE IX

MYRTIL, ROSE, CLAIR DE LUNE, LE PRINCE D'ARAGON, LE ROI D'IL-LYRIE, LE PRINCE DE MAROC, CY-PRINE, DIAMANT, RIQUET A LA HOUPPE, puis LUCIOLE.

*Riquet*, s'agenouillant aux pieds de Rose.

Ma princesse! abaissez vers moi la douce flamme
De vos yeux.

*Rose,* à Riquet à la Houppe.

C'est par toi que s'éveilla mon âme.
Enfant pensive et triste, errante en ce palais,

J'ai vu s'ouvrir le ciel tandis que tu parlais.
Toute la vie entra dans ma jeune mémoire;
Et maintenant je sais qu'au fond de ma nuit noire
Toi seul, ô mon vainqueur, apportas ce flambeau,
Et que tu m'appartiens, puisque je t'ai fait beau !

*Riquet*, se relevant. Un peu sceptique.

Beau ?

A ce moment, entre l'écuyer Luciole qui, frappé d'admiration en voyant l'heureuse métamorphose de son maître,
lève les bras au ciel et va s'écrier. Mais d'un geste impérieux le roi Myrtil lui impose silence. Riquet à la Houppe
continue alors, s'adressant surtout au public.

Je suis en effet beau, dans une certaine
Mesure. Pas si beau que le blond capitaine
Phébus, archer lançant des flèches dans le ciel.
S'appliquer pour le mieux, voilà l'essentiel :
Un peu d'Antinoüs arrangerait l'affaire.

Prenant héroïquement son parti. Avec une mélancolie
résignée et modeste.

Mais voilà ce que j'offre, et tout ce qu'a pu faire
L'astuce du coiffeur et l'art du costumier
Pour changer le comique en un jeune premier.
Pourtant je serai beau, si ma chère princesse
Peut me voir ainsi, car l'Illusion sans cesse
Nous transfigure, et sait d'un oiseau très banal
Faire ce merle blanc qu'on nomme l'idéal.

*Myrtil.*

Guenille si l'on veut, j'aime tout ce qui brille.

Aux Rois.

Princes, je vous invite aux noces de ma fille.

*Cyprine,* prenant la fée Diamant par la main.

Et nous, puisque tout cède à cet heureux succès, —

*Diamant.*

Allons nous délasser à voir d'autres procès.

Les deux fées rentrent dans la grotte.


## SCÈNE X

MYRTIL, ROSE, CLAIR DE LUNE, LE PRINCE D'ARAGON, LE ROI D'ILLY-RIE, LE PRINCE DE MAROC, RIQUET A LA HOUPPE, LUCIOLE.


*Myrtil,* serrant Riquet à la Houppe dans ses bras.
Avec exaltation.

Mon fils !

Revenant tranquillement à son idée favorite.

Parmi ces ifs aux allures suspectes
Nous ferons au plus tôt venir des architectes.
Opulents, il nous sied de mettre à la raison
Ces jardins envahis par trop de floraison ;
Nous les embellirons par des métamorphoses.
La lèpre des jasmins, la rougeole des roses
Disparaîtront ; chez nous on ne trouvera plus
Sur sa route des lys pour le moins superflus.
Et nous pourrons enfin guérir le parc malade.

A Clair de Lune.

Mais laissons ce discours, et voyons ta ballade.

*Clair de Lune,* au public.

Avec son allure étourdie,
Mes bonnes gens, tel deviendra
Le sort de notre comédie.
Tout aussi bien qu'un opéra,
Elle peut amuser Cora
Blanche comme sa colombelle,
Et réjouir Alcantara,
Belle, si vous la trouvez belle.

Il est amusant, quoiqu'on die,
De chanter traderi, dera.
Si cette pièce est applaudie,
Fêtée, heureuse, et cætera,

Elle vaudra Faust et Lara,
Toute la sainte ribambelle
Des chefs-d'œuvre qu'on admira,
Belle, si vous la trouvez belle.

Par respect pour la prosodie,
Ne fuyez pas à Sumatra,
Où flamboie un ciel d'incendie.
Ne faites pas le Sahara
Chez nous, où le vers chantera.
C'est la Rime qui vous appelle,
Avec son plumage d'ara,
Belle, si vous la trouvez belle.

Jamais Fœdora ni Dora
N'ont trouvé le public rebelle :
Quant à cette œuvre, elle sera
Belle, si vous la trouvez belle.

Tous les personnages s'unissent dans une expression
d'apaisement et d'allégresse. Le rideau tombe.

# TABLE

TABLE                                277

## RIQUET A LA HOUPPE

Paris. — Imp. A. LEMERRE, 25, rue des Grands-Augustins.

# PETITE BIBLIOTHÈQUE LITTÉRAIRE
## (AUTEURS CONTEMPORAINS)

Imp. A. LEMERRE, 25, rue des Grands-Augustins.

Imprimé en France
FROC022028210120
23239FR00019B/262/P